Sabendo que és
minha

Copyright © 2020 Fabrina Martinez
Todos os direitos reservados à Editora Jandaíra, uma marca da Pólen Produção Editorial Ldta., e protegidos pela lei 9.610, de 19.2.1998. É proibida a reprodução total ou parcial sem a expressa anuência da editora.

Este livro foi revisado segundo o Novo Acordo Ortográfico da Língua Portuguesa.

Direção editorial
Lizandra Magon de Almeida

Coordenação editorial
Luana Balthazar

Leitura crítica
Michelle Henriques

Edição de texto
Lídia Basoli

Preparação de texto
Alex Criado

Diagramação
Sergio Chaves

Ilustração de capa
Eva Uviedo

www.editorajandaira.com.br
atendimento@editorajandaira.com.br
(11) 3062-7909

Maria Helena Ferreira Xavier da Silva/ Bibliotecária – CRB-7/5688

M385s	Martinez, Fabrina Sabendo que és minha / Fabrina Martinez. – São Paulo: Jandaíra, 2020. 144 p. ; 21 cm.
	ISBN 978-65-87113-19-7
	1. Ficção brasileira - literatura. 2. Ficção autobiográfica - História e crítica. 3. Mulher - Aspecto social. 4. Maternidade – Aspecto social. 5. Luto - Aspectos psicológicos. 6. Mulheres e literatura. I. Título.
	CDD B869.3

Número de Controle: 0005

produção   realização

FABRINA MARTINEZ

Sabendo que és *minha*

jandaíra

Para todas as mães e filhas.
Vivas ou mortas, enterradas ou não.

SUMÁRIO

11. PARTO

21. DIVÃ

51. SILÊNCIO

101. POSSESSÃO

139. POSFÁCIO

Vamos – me diria –, nos conte que rumo sua vida tomou, quem se importa com a minha, confesse que ela não interessa nem mesmo a você. E concluiria: eu sou um rascunho em cima de um rascunho, totalmente inadequada para um de seus livros; me deixe em paz, Lenu, não se narra um apagamento.

— ELENA FERRANTE

PARTO

1.

A morte da Minha Mãe chegou por escrito. Na carta do médico endereçada ao banco, estava escrita a frase "ela está em coma e seu estado é irreversível". Há uma voz na minha cabeça que lê essa frase desde então. Um eco daqueles dias. Quando fecho os olhos, é ali que estou. No quarto do hospital, de pé entre duas camas. Levantei a cabeça e olhei pela janela. A vista era uma parede que um dia foi branca e agora tinha muitos tons de sujeira. Hospitais deveriam respeitar a dignidade da lembrança e oferecer paisagens melhores. Voltei meus olhos para o documento e, em silêncio, entendi.

Minha Mãe Morreu.

Seu corpo ainda estava ali, ligado à morfina. Não me lembro se ela respirava por aparelhos, mas tenho quase certeza de que não. Quase. Isso, ela não respirava por aparelhos. Ninguém naquele quarto respirava. Há uma lacuna entre a lembrança de entrar no quarto enquanto a mãe ainda falava e pedia para ir para casa e o momento seguinte, em que ela estava morta. A última coisa que eu disse para ela foi uma mentira. *Calma, mãe, já vou te levar pra casa.* Ela estava com medo. Eu também. Mas naquele parto às avessas, minha tarefa era dar à luz.

A mãe já estava com as vestes do hospital e não o pijama que me pediu que levasse. Talvez tenha sido nosso último momento de cumplicidade. Ela adorava aquelas peças. Simples. Um conjunto de short e regata rosa claro, com uns bichinhos. Depois de um dia de trabalho, cheguei na casa dela e ela anunciou sorrindo: "vou te mostrar o que comprei, mas não vou te dar". Implorei e ela negou. Eventualmente o assunto aparecia. Era uma forma que tínhamos de conversar. O nosso jeito. Hoje o pijama está em casa e Minha Filha e eu nos revezamos para usá-lo. Um dia no hospital ela me pediu por essas peças. Ninguém achou no guarda-roupa. Saí do hospital em silêncio e chorei tudo o que havia para chorar no táxi. O motorista desligou o rádio e não me perguntou nada. Essa é uma das belezas do silêncio. Não sei se ele fez o caminho mais longo e não me importei com isso. Meu único desejo era não chegar na casa da mãe.

 Entrei pela porta da cozinha, passos longos pelo corredor, ignorei o banheiro, o quarto dela, a escada, outro quarto e segui minha caminhada crítica rumo ao cesto de roupas sujas. Sentei no sofá preto e rasgado dos cachorros, joguei as roupas sujas no chão e fui colocando uma a uma de volta. Quando não estão nos nossos corpos, onde mais estariam as peças que mais amamos? Minha prima se aproximou e disse que as lavaria. Foi ali, naquele momento em que vi tantas pessoas me olhando, que me reconheci em fúria. A mãe ia morrer e não havia nada que eu pudesse fazer. Ela sempre me ligava quando algo ruim acontecia. Ela sempre me chamava quando o problema parecia enorme e eu ajeitava tudo com decisões súbitas e irritadas. Deixava as coisas organizadas, a acolhia e depois ia embora, brava com a falta de firmeza dela diante da vida. Quando tudo ficava bem, ela me oferecia uma bariátrica como forma de agradecimento – "pra você ser feliz" –, eu negava e ela me afastava. Até que algo acontecesse de novo. A farinha que faltou para o bolo, a vizinha que se mudou e abandonou os cachorros trancados na casa vazia, o irmão que se machucou ou não voltou para casa, a amiga que morreu. Eventualmente ela me abraçava e agradecia. Quando o problema era muito grande e ela não sabia lidar, me chamava para uma conversa séria sobre o meu tamanho. Gorda nunca foi uma palavra simples para minha mãe. Era uma sentença e eu, a condenada.

2.

Não sei quando a trocaram de cama e colocaram o roupão do hospital. Assustei-me. Fiquei parada na porta. Aquela roupa era um ritual de passagem. Sei pouco sobre aqueles dias que vivi intensamente. Sei muito sobre aqueles dias que vivi intensamente. Nem sei se importa, na verdade. A memória é essa coisa aquarelada que começa de jeito, escorre, muda de cor e forma, vira outra coisa que dialoga com a primeira, ainda que seja outro idioma. Mas é o que fica. Esses dias moram na zona abissal da minha memória e, eventualmente, uma lula vampiro do inferno deixa que algo escape. A roupa marrom, as máquinas de morfina, a cabeça caída para o lado direito e o silêncio. Nossa, o silêncio. Alto. A mãe falava demais, ria alto demais, torcia demais. Ela ocupava espaços demais e agora era só um corpo. Silêncio e vista para as paredes sujas. Tudo o que veio depois foi ritual e burocracia.

Desde o enterro até esse parágrafo, foram 156 horas de análise; 19 horas com a psiquiatra e seis remédios diferentes. Dois para o pânico e a ansiedade, um para a depressão e outros três para dormir. Já estava em tratamento antes, mas somente depois da morte da mãe é que deitei no divã. As pessoas sempre me viram como doente por conta do tamanho do meu corpo, mas elas nunca se preocuparam com minha sanidade. Elas lidavam com isso usando adjetivos como "exótica". Também recorri a treinamentos de programação neurolinguística, que me ajudaram a ressignificar processos dolorosos e a me aproximar de pessoas que hoje me são caras, mesmo que eu não saiba demonstrar isso a elas. Comecei a meditar e dei meus primeiros passos no budismo, como a típica budistinha: evitando a dor e recorrendo a frases prontas. Ao invés de meditar, aproveitava o momento para me afundar no escuro e colocar a coluna no lugar. Nesse período, fechar os olhos era uma aventura.

Havia esse lugar dentro de mim, uma zona abissal que sugava meu corpo sem desmembrar, reduzir ou apertar. Era apenas escuro, solitário, quase frio, e com vozes distantes. Quando eu era criança sonhava em ser astronauta. Ficar sozinha, de verdade, no espaço. Silêncio absoluto. Então eu ficava ali, na carteira da escola, treinando para esse momento. A professora falava e eu só ouvia uma voz dentro de mim comandando que eu não pensasse em nada. Dois segundos depois, estava decepcionada comigo mesma por falhar.

Fiquei cinco dias em um retiro de silêncio e foi mágico. Por um breve período apenas existi, e a morte da Minha Mãe só durava dentro de mim. Ninguém me perguntava se eu estava bem, não tinha que consolar estranhos que perderam uma amiga ou colega, tampouco dizer a frase **"Minha Mãe Morreu"**. Mas houve um dia, um único dia, em que dizer essa frase foi libertador. Fui num grupo de apoio para pessoas enlutadas, e dizer tudo, absolutamente tudo, sobre o luto, sem medo de chorar ou ser julgada, foi quase como um exorcismo. Talvez tenha sido.

3.

Há dias em que abrir os olhos e ficar de pé parece impossível. Escovar os dentes, tomar um banho, pentear os cabelos, colocar uma roupa limpa, lavar a louça, tomar um café quente, abrir janelas e portas e respirar exigem algo que foi enterrado com a mãe e não sei nomear. Falar isso, em voz alta, chorando. As pessoas que me olhavam e ouviam tinham enterrado mães, pais, filhas, filhos, maridos, netos, irmãos. Nenhum deles tinha de fato celebrado o Natal, e o Ano Novo seria só uma janta. Nem mesmo um jantar. Ninguém esperou que eu me matasse quando disse que queria morrer, ninguém me olhou com nojo quando eu disse que logo depois da morte da mãe passei três dias sem tomar banho, ninguém sentiu pena de mim quando não conseguia falar porque chorava demais, e ninguém, absolutamente ninguém, me julgou quando eu disse que odiava a mãe porque ela abraçou a doença como um suicídio. E, mais importante que tudo, ninguém me aconselhou. As cabeças apenas sinalizavam que sim, validando cada sentimento desse umbigo sem fundo que é o luto.

Também revi e assisti a muitos filmes de terror. Eles me ajudam a lidar com minha ansiedade e com sentimentos que ainda nem sei nomear. Vivi intensivamente minhas obsessões e compulsões: plantas, minimalismo ou crochê. Pode parecer que estou perdida ou confusa, mas a verdade é que me sinto traída. Mentira. Também me sinto confusa e perdida. Não deveria estar. Não deveria? Não sei. A morte da Minha Mãe me ensinou sobre sentimentos que eram banais para mim. Na primeira – e única – vez que viajei para fora do Brasil minha filha tinha quatro anos. Foram quinze dias longe dela e, ao final, eu podia sentir a textura da pele dela ou o seu cheirinho quando eu fechava os olhos. Chamei isso de saudades. Mas a primeira vez que senti saudades de verdade da mãe, chorei tão alto quanto pude. Minha cabeça doía demais e eu só queria que aquilo parasse. Dormi no sofá e acordei chorando. Meus três grandes medos irracionais são ser possuída pelo demônio, ser atropelada por um trem que descarrilou e ser abduzida por alienígenas. Tinha outros menores, como ser assassinada ou entrar em combustão espontânea. Fui criança nos anos de 1980. Dói ter consciência de que a Minha Mãe viveu e morreu triste. Exatamente como estou agora. Exatamente como fui e me enganei achando que não era. Triste e infeliz. Kurt Vonnegut[1] disse "nós somos o que queremos ser, então temos que ter cuidado sobre o que queremos ser". É uma frase bonita e muito distante da realidade quando se é mulher, filha e mãe. Desejar e ser são verbos perigosos para quem não é homem. De qualquer forma, o que precisamos saber até esse momento é muito simples: uma pessoa morreu e a vida continua.

---

1 *"We are what we pretend to be, so we must be careful about what we pretend to be."*
– Kurt Vonnegut, *Mother Night*.

DIVÃ

1.

Desculpa por te fazer chegar aqui.

Minha Analista foi me encontrar no hospital horas antes de declararem a morte da Minha Mãe. Ela vestia um blazer branco e os cabelos estavam soltos. Foi antes dela cortar. Era a primeira vez que eu a via de blazer e, principalmente, de branco. Talvez fosse o dresscode do hospital ou talvez ela apenas tivesse pensado "eu nunca uso isso" ao abrir o guarda-roupa naquele dia. Mas foi algo que me pegou. A carta já havia anunciado a morte, mas Minha Mãe ainda precisava morrer.

"Até quando você vai pedir desculpas por trazer as pessoas até você?", ela disse enquanto tirava algumas coisas que havia levado para mim: comprimidos para dor de cabeça; lenços secos e umedecidos; um spray para nariz entupido, que perdi no dia seguinte e me culpo por isso até hoje; água com gás, balas e conforto. Também me perguntou se eu precisava de lanche e café ou lanche ou café. Horas antes, eu havia enviado uma mensagem pedindo para ela ir até o hospital para conversarmos. Falei que o quarto da mãe – 656 – era perto da capela e que poderíamos ficar lá. Acho que eu precisava confessar meu desejo de que o coração da Minha Mãe parasse logo.

Ela me levou para a sala de espera de endoscopia. Também era apropriado. Já era de noite, bem tarde. Os consultórios estavam fechados, as luzes apagadas, os corredores silenciosos. O movimento estava dentro dos quartos, os doentes com suas companhias e solidões. Tem essa cena que ficou guardada na minha memória. Fui pegar água no bebedouro e olhei aquele corredor comprido, as placas dos quartos acima de cada porta fechada. Metros e metros de dor e silêncio. Tirei o celular do bolso e fotografei. Poderia ser um cenário de filme de terror. Para mim, era, mas de outro jeito. Mais dolorido e menos gore. Não lembro com quem estava Minha Filha, se com minha prima ou com uma amiga dela. Só me lembro de pensar que ela precisava estar segura, e estava. Foi a última sessão de terapia antes da orfandade.

No dia seguinte, às 10h30, **Minha Mãe Morreu**.

2.

10h44: ela morreu

14 minutos. *Missing Time*. "É sobre controlar o passado para controlar o futuro. Ficção mascarada como fato", disse Mulder. A minha sensação era de que havia mandado a mensagem imediatamente. Lembro-me de mim como se fosse espectadora, encostada na cama do hospital onde nos internamos com a mãe por tantos dias, avisando algumas poucas pessoas. A frase era sempre a mesma. Lembro-me das pessoas ao lado dela, das lágrimas, da tristeza, da despedida. Se me esforçar um pouco, me lembro do cheiro do quarto. Não quero. A mãe estava com as vestes do hospital, uma coisa cinza feita com um tecido grosso. A mãe suava demais e, se pudesse, teria reclamado. Nos últimos dias, ela tomava três a quatro banhos por dia. Mas a arquitetura

do hospital é feita para aquecer de um jeito muito errado. A oferta equivocada de calor predomina.

Quanto custa oferecer dignidade aos doentes? Eu estava ao lado da janela, a poucos metros daquela parede branca e suja. Não tinha céu. Era um quarto cheio de gente que perdeu uma pessoa. A mãe morreu para muitas pessoas. **Minha Mãe Morreu** só para mim. Nesses catorze minutos entendi que A célula foi atingida. O silêncio. Olhei para cada pessoa naquele quarto buscando por autorização, validação ou confirmação. Não teve um último e largo e alto suspiro. O coração apenas parou. Foi isso. O coração parou e houve esse grande e longo silêncio. Havia um zumbido no meu ouvido. Ele foi ficando cada vez mais alto e o quarto cada vez mais claro. Já não ouvia as pessoas direito e nem via seus rostos. Olhava para a mãe, Minha Mãe, e via a cabeça tombada para o lado direito. Abaixei, encostei minha cabeça na sua mão e cantei a canção de ninar que ela me ensinou e que eu tanto amava.

Ha ha ha minha machadinha
Ha ha ha minha machadinha
Quem te pôs a mão sabendo que és minha?
Quem te pôs a mão sabendo que és minha?
Sabendo que és minha eu também sou sua
Sabendo que és minha eu também sou sua

Era como se a cama do hospital tivesse se tornado a cama da minha infância e a mãe estivesse lá, silenciosa ao meu lado, pensando suas tristezas quando eu a atravessava e pedia que ela me cantasse. Eu já era velha demais para isso. Nós duas sabíamos disso, mas ignorávamos. Catorze minutos. Mandei mensagens. Avisar as pessoas era meu jeito de tornar isso real. Cada condolência é uma confirmação. É verdade. Aquele corpo sem vida, aquele corpo com morfina, aquele corpo é a Minha Mãe.

Quão ruim eu sou por continuar viva?

3.

Quando éramos crianças, meus irmãos e eu brigávamos muito. Não era bonito de assistir. Os socos eram descompassados, as guardas estavam sempre baixas e as bases não ofereciam estabilidade. Então a mãe contou essa história, sobre A célula. Toda a vida de uma pessoa, qualquer pessoa, está concentrada numa única célula que se movimenta constantemente pelo corpo. Ela não tem um lugar fixo, nunca está parada e não dá para saber onde ela está. A célula é um tubarão e nosso corpo, o mar. Quando alguém começava a perder a briga, o que simplesmente era apanhar demais, ouvíamos o grito de cuidado com a célula. Às vezes era do perdedor, mas na maioria das vezes, era a mãe. Sempre respeitávamos o apelo. Mentira. Sempre havia o soco final.

 A doença fez mais do que achar A célula da Minha Mãe. Destruiu a medula e transformou sangue em água. A morte brotou na nascente e se instalou no sangue. De dentro, o extremo dentro, para fora. Ela já não tinha aquele ânimo para fazer qualquer coisa a qualquer momento. Eu deveria ter percebido. Hoje reconheço cada um dos sinais. Não faz diferença. Procuro pela foto que tiramos cinco dias antes dela morrer. Uma selfie. Uma das poucas que fizemos juntas em toda nossa vida. Não gostou e pediu outra. Levanto o celular e vejo que Minha Mãe se esforça para sorrir. Não éramos apenas nós. Havia o cateter nasal dela e minha máscara de ursinho do BTS que comprei para Minha Filha na Liberdade. Há muita tristeza em nossos olhos, mas também alguma alegria e resignação. Não éramos boas com fotos. Na verdade, éramos péssimas. Eu odiava ver meu corpo gordo e talvez ela odiasse também. Sei que ela detestava, mas não quero pensar nisso. Não agora.

Esqueci o que veio depois da selfie, talvez Minha Mãe tenha se deitado e ficado em silêncio. Talvez não tenha falado sobre o medo que sentia enquanto eu me ajeitava na cadeira de fios e fazia um discurso sobre como éramos fortes graças a ela. Hoje sei o que queria ter dito ou como gostaria de ter tido força ou coragem para simplesmente levantar e abraçá-la, em silêncio. Ou dizer que em mim ela nunca morre, mesmo que morra todo dia de manhã. Mas essa consciência só existe porque ela morreu. Ainda não sei como me sinto.

Mas tem essa outra foto, que não sei como olhar. Na véspera de sua morte, quando já estava em coma, segurei sua mão e nos fotografei. Havia esparadrapos e fios, mas não sei se a Minha Mãe estava lá. Sinto falta de cada linha daquela mão, do quão fino e macio era seu cabelo, mesmo com todas as químicas das luzes, e até do jeito que ela me olhava quando estava decepcionada. Não me lembro da voz. É uma memória gasta. Sinto saudades de ouvi-la dizer "Será que existe alguma coisa pra você fazer na sua casa, minha filha?", sempre que eu perturbava sua vida online ou sua cachorra idosa, que hoje mora conosco. Tem esse áudio dela. O último que ela mandou. Doze dias antes de ser internada, dezoito antes de morrer.

"Caramba. Tá tudo bem? Fiquei te esperando pra almoçar e você não apareceu. Falou, beijo."

Nada aconteceu. Escolhi trabalhar.

Ela não disse Minha Filha.

4.

Minha Mãe Morreu. Abro os olhos e a realidade vem de um jeito muito específico, quase espantoso. Ela não está mais aqui e a vida me obriga a levantar da cama. *Eu vou ficar bem. Vou mesmo? Eu tenho que ficar bem.* O teto da minha casa é branco. Sempre assisto a esses vídeos feitos por decoradores ou arquitetos que ensinam sobre pintar o teto de outra cor e dar nova vida à casa, mudar a perspectiva, melhorar o ambiente ou só deixar bonito. Fico me perguntando quem limpa a casa ou quanto custou contratar alguém para fazer aquilo e depois dizer que fez sozinho. Já pensei em fazer algo do tipo, mas não consigo escolher nenhuma cor. Planejei fechar os buracos da parede, mas abandonei esse desejo. São cicatrizes feitas pelos antigos moradores e por mim. Gosto de pensar que essa casa está tão machucada quanto eu e que talvez, um dia, seja possível fazer algo por nós duas.

Entrar no consultório da Minha Analista depois do enterro da mãe foi tão ruim ou pior quanto entrar pela primeira vez. Antes eu não queria falar sobre a Minha Mãe. *Podemos falar sobre qualquer coisa, mas se isso for essencial, se falar sobre ela for primordial, não quero fazer análise.* Depois que a mãe morreu, eu voltava só para falar sobre ela. *Eu estava obcecada. Passava 80% do meu tempo falando sobre morte e nos outros 20% eu torcia para que alguém falasse dela só para eu poder falar um pouco mais.* Talvez seja esse o momento de falar sobre as piadas que faço para tornar tudo mais suportável. Muito cedo.

Só saí de casa três ou cinco dias depois do enterro, não me lembro. Sei que era um número primo e ímpar de uma única dezena. Não era sete. Acordar é traição. Na primeira sessão depois do enterro da Minha Mãe, não consegui chegar à sala de terapia. *Hoje é a primeira vez que saio de casa e minha coluna travou.* No luto, sente-se muito. Sente-se demais. Enquanto fechava o zíper da bota, minha coluna travou. A tristeza cansa, mas o luto esgota, mói, sova. Como não travaria? Eu havia viajado quase milhares de quilômetros para enterrar Minha Mãe. Não fui junto aos familiares, mas com ela. No carro funerário. O caixão batendo nas costas do banco a cada solavanco, curva ou pedrisco no caminho. Não há onomatopeias para isso. *Qual o som que o caixão da sua mãe faz quando bate no banco, nas suas costas?* Só pensava se a mãe ficaria orgulhosa de mim. Logo eu, que sempre me assustei com o menor dos movimentos, viajei junto a um cadáver em estradas vazias e na madrugada. *Eu devia isso a ela? Eu ainda estou aqui.*

O que eu sentia era maior que tristeza. Há tantas outras coisas que ainda não sei nomear. Era como se eu tivesse chegado na encosta da zona abissal do meu peito e a linguagem não desse conta do que era existir ali. "Como você está?" Em geral, as pessoas ficavam em silêncio e eu podia tocar o sentimento de pena ou constrangimento saindo de seus poros, como uma fumaça, e criando corpo próprio. *Estou de luto. Eu & Luto. Uma coisa só.*

5.

Cheguei no consultório tomada pelas dores e eu não coube no sofá. Minhas costas doíam demais. Sentia agulhadas nas costelas e olhava para o chão pensando o que achariam se eu deitasse ali. *O que o paciente anterior vai pensar? Talvez que eu realmente precise estar aqui.* Analisei o sofá. Muito macio. Deitei no chão. Entre ele e eu, o tapete cinza. É um tapete bem legal, sem ironia. É diferente e confortável. Estive naquela sala muitas e muitas vezes, mas era a primeira vez que a via daquele ângulo. O ventilador, as luzes de emergência, a antiga máquina de costura e a orquídea branca diante da janela. Sempre havia flores e plantas. Houve a época do bambu Mossoró, do chifre de veado (*Platycerium herbácea*, caso prefiram) e de uma outra de que não lembro o nome. Suculenta? *Que planta era aquela?* A orquídea é uma constante.

Sempre penso em roubá-la. Fiquei imaginando Minha Analista encontrando o espaço vazio, lidando com aquela ausência e, depois de alguns esforços e movimentos, me assistindo pela câmera do elevador indo embora com a orquídea dela. *Será que ela me perguntaria? Será que ela repararia? Será que ela me mandaria embora?* Ela desceria até a portaria e pediria para ver os vídeos das câmeras de segurança e teria a comprovação: tinha sido eu. "Eu sabia que ela não era tão boa gente. Muito estranha e frequenta outras salas." O porteiro sabe demais sobre mim. O consultório dela fica no quinto andar de um tradicional prédio da cidade. No sétimo andar, o consultório da psiquiatra. Tenho uma amiga que também frequenta a mesma sala do sétimo andar. Ela recebeu um diagnóstico e eu sinto inveja. Meu rosto é familiar aos porteiros. Foram muitos em todos esses anos. Houve uma moça, muito agradável, que me deixou pegar mudas no jardim do prédio. Eventualmente levo uma pedra e coloco na costela de adão da minha varanda. Ou deixo na minha mesa de trabalho.

Olá, vou na L., no quinto andar.
Oiê, hoje vou na doutora E., no sétimo e depois na L., no quinto.
Tudo bem? Vou no quinto, na L., e depois no sétimo na doutora E.
Olá, vou na doutora E., no sétimo. Só.

É confuso e um pouco vergonhoso também. Sempre penso se os porteiros me julgam com a mesma crueldade com que eu faço isso comigo. Acho que não. São boas pessoas. Teve esse dia em que fiquei na sala de espera da Minha Analista por quase 45 minutos. Eu, a orquídea e o tapete.

Ela estava lá dentro, com outras dores, enquanto eu esperava. *Acho que cheguei muito cedo. Acho que ela se esqueceu de mim. Vou embora.* Estava melhor, mas ainda enfraquecida. À noite, quando encarei minhas cartelas de fluoxetina e clonazepam vazias é que lembrei que meu horário era com a psiquiatra e não com a analista. Mas eu estava melhor e dormi um pouco sabendo que Minha Analista não tinha se esquecido de mim. Às vezes, tenho vontade de mandar uma mensagem pedindo para ela não desistir de mim. Minha Analista escuta. Mas também fala, lembra e ri. Ela não é adepta da psicanálise selvagem, e talvez por isso eu sempre volte. Volto por outros motivos também e me assusta que ela sempre esteja lá. Não que ela vá fazer isso, mas eu desistiria de mim facilmente. Já desisti várias vezes, inclusive. Nenhuma delas me fez gorda. Voltei a roer unhas.

6.

Ao escolher o chão, esperei que algo acontecesse, que a dor melhorasse. *Que fosse mentira.* Minha Analista abriu a porta e antes que eu pudesse pensar em levantar, ela se aproximou, fechou a porta de entrada, sentou-se na cadeira numa posição em que ela era quase imperceptível e disse para fazermos a sessão ali mesmo. "Quanto dói?" *Muito. Dói muito.* Eu precisava ficar perto da Minha Mãe e isso era o mais próximo que eu chegaria dela a partir de agora. Não me assustei com a escolha ou atitude da Minha Analista. Até o momento, não vivemos nada que supere o blazer branco.

Cruzei as pernas, olhei para bota cheia de fivelas e me lembrei de quando eu era criança e morávamos perto do quartel em Campo Grande. Venho de uma família de militares, mas desde cedo tinha medo do barulho que os soldados faziam ao marchar. Quando eles se aproximavam, eu corria para o

colo da Minha Avó. Outro momento em que fazia isso era quando passava o vídeo de *Thriller*, do Michael Jackson. Ela apenas continuava o crochê. Precisei de tempo para apreciar a beleza do horror e abraçar o grotesco. Ainda tenho medo da marcha. Mas agora eu estava ali, adulta e órfã, corajosa o suficiente para usar uma bota com fivelas. Sem a proteção da Minha Avó, sem a Minha Mãe. Nunca tive pai. Sozinha.
Falei.
Contei do momento em que a hora morte foi anunciada até o travar da coluna. Como se fosse um capítulo de novela ou episódio de série. Filme não. Contei que só comi alguma coisa quase um dia depois da declaração do óbito; sobre as pessoas que estavam lá; como sucumbi ao cansaço e dormi no meio do funeral. Da maneira mais irregular possível, lembrei do primeiro impacto da morte da Minha Mãe. Cedi e fiz algo que nunca tinha feito conscientemente até então: confiei nos meus irmãos mais novos. Eles fizeram tudo o que havia para ser feito com o funeral enquanto eu ajeitava a vida da Minha Filha para que ela fosse viver o luto junto ao pai. Ela não queria ir ao velório e ao enterro. Eu não tinha essa escolha.
O telefone tocava eventualmente. *Prefiro a cruz no caixão. Prefiro a terceira frase na coroa de flores. Prefiro flores brancas. Prefiro que seja mentira. I would prefer not to. Nevermore. I'm nobody! Who are you?* Meus irmãos cuidaram de muitas coisas, amigas vieram em casa me abraçar. Naquele momento eu não sabia, mas hoje sei o quanto precisava das pessoas. Uma amiga arrumava minha casa, outra limpava, o pai da Minha Filha ajeitava as coisas dela para a viagem enquanto outra amiga fazia a minha mala para o enterro. Sentei no sofá enquanto as pessoas chegavam e me abraçavam. A morte da mãe abriu espaço para uma afetividade que eu não sabia que tinha, existia ou poderia receber.

Eu estou bem. Juro.
Eu sou a pessoa que resolve coisas e não sei o que fazer.
Ela morreu, me abandonou de vez.
Não, não estou bem.

O velório não é apenas sobre despedida, é sobre ser anfitriã da própria dor. É honrar um desmoronamento cuja profundidade ainda é um mistério. Foi desse lugar, do piso frio e branco escondido por um bom tapete, que contei como escolhi as roupas que usei, engoli ansiolíticos e tranquilizantes como se fossem balas de hortelã, voltei a fumar, fiz selfie no banheiro do cemitério e pedi à minha prima que fizesse um corre que me ajudasse a relaxar. Não lembro se contei o momento em que me separei de todos e sentei junto aos cães vira-latas que estavam por ali e pensei no quanto a paisagem do cemitério é infinitamente mais bonita que a do hospital. E quão sádico é isso.

As pessoas não morrem apenas. A morte é algo que acontece no gerúndio. Talvez o maior ato burocrático de gratidão seja fechar a vida dos nossos pais. Falei do meu vestido, que absorvia todo calor do Mato Grosso do Sul e ainda assim eu não suava. O calor machuca. A morte machuca no gerúndio. Peguei o que minha prima me trouxe e acendi. Pouco a pouco, nada mudou. Não foi como naquela festa da faculdade em que me soltei a ponto de dançar em público ou quando bati na porta de uma vizinha desconhecida, mas não muito, e pedi a receita de um bolo de morango. Não sei se era morango mesmo, mas me lembro dele ser rosa. Não existia Google na época.

Acho que essa foi a primeira viagem que fiz sem meu computador. Na mala, somente minhas melhores roupas. Pretas. Não foi difícil. Todas as minhas roupas são pretas. Senti a fumaça do pastel queimar. Tossi. Tem dias, semanas, meses. Tudo o que sinto é o impacto. Também sentia muita raiva da Minha Mãe. Não como quando ela estava viva. Tanto quanto, mas diferente. Mas no dia do velório ou naquela sessão, eu ainda não sabia disso. Agora eu sei. Na época, não tinha como saber. Era demais. Eu já havia velado Minha Mãe. Na estrada. São Paulo-Mato Grosso do Sul. Por horas. Com o caixão batendo nas minhas costas. *Eu conquistei o direito de estar aqui sozinha.* Falo alto que *se estou aqui é por que eu me-re-ci.* Gargalho, choro e engasgo. Tudo junto, numa cerimônia de adeus.

Nunca passei por aquela estrada em vão. Viajei por aquela via com Minha Mãe quando ela decidiu mudar para se casar; quando fui passar férias com minha avó; quando minha avó foi me buscar para morar com ela; seis meses depois quando minha avó me devolveu; quando todos nos mudamos para lá; quando todos voltamos para cá; quando comecei a viajar sozinha de carona ou de ônibus; quando terminei a faculdade e procurava por emprego; quando voltei para visitá-la; quando trouxe Minha Filha, quando deixei tudo para trás e aceitei que poderia morar aqui. Quando precisava me lembrar de onde vim.

Escolhi o silêncio e não fiz uma despedida pública da Minha Mãe. Penso no que as pessoas gostariam de ver e me abaixo na altura do ouvido dela. Quase sinto o cheiro da madeira do caixão. Ela está gelada e a pele envelhecida da mão perdeu a textura. Coloco na mão dela o terço que trouxe de Portugal. Foi um presente para ela, junto com outras coisas que depois foram doadas a um brechó de protetores de animais de rua. A mãe protegia os animais. Repito várias e várias vezes no ouvido do corpo que vamos todos ficar bem. É uma promessa. Ainda que encenada para aquelas pessoas, é uma promessa. *Vamos todos ficar bem.* Mas sei que talvez não possa cumprir. Nenhuma de nós duas respira.

7.

Minha Analista escuta. A cabeça reclinada para trás, apoiada na parede roxa. A orquídea branca do lado. *Será que eu roubo?* Ela escuta. Não sei se é verdade, mas gosto dessa história de que Freud criou a psicanálise por conta da necessidade das pessoas de serem escutadas. De modo geral, todos sabemos a diferença entre ouvir e escutar. Nós, os banais, apenas ouvimos. Ouvimos e pensamos na lista de compra do mercado; no boleto atrasado; no quanto nossas dores são maiores e mais significativas; em outras pessoas; ou cantarolamos aquela música. Ouvimos enquanto cogitamos como podemos resolver aquela situação ou pegar aquilo que a pessoa nos diz e direcioná-la para que ela faça algo que faríamos naquela situação. Ou simplesmente julgá-la. Minha Analista me aceita, respeita, não me julga ou coloniza. Sobretudo, Minha Analista me escuta e isso é maior que apenas aceitar, respeitar, não julgar ou colonizar. Ela escuta. Com o tempo, passei a ter discussões internas com ela. Chegava na sessão e dizia para ela o que ela havia me dito na minha cabeça. "Você vai me deixar trabalhar?" Não tem discussão, mas ponderações. Teve uma vez, aquela vez, em que ela forçou a conversa com a pessoa (que também sou eu) que só quer morrer. De qualquer forma, jeito ou hora.
Porque eu não quero continuar viva.
"É com essa pessoa que eu quero falar."
Desde então, todas conversamos juntas. Pensei em não voltar mais, mas voltei. E volto. Nas semanas regulares, duas vezes, nas difíceis, três. Mas houve semanas de quatro ou cinco sessões, incluindo sábados, domingos e feriados. É um privilégio e eu reconheço isso. É um privilégio. O boleto da análise é o maior de todos, inclusive maior que o aluguel da minha casa. Mas é o que me mantém de pé para quitar

todos os outros boletos. Concretos ou não. Para ter perspectiva. Para ser uma pessoa, não uma sobrevivente. Para que ao morrer eu tenha consciência de que eu nasci. Essa é a segunda ou terceira vez que faço por escolha; a primeira em que permaneço. Sempre fiz terapia. Sou a filha indesejada de um psiquiatra. Minha Mãe era cozinheira. Ela não sabia como conversar comigo e sempre me mandava para algum psicólogo. Ele assinava cheques enquanto falava ao telefone. Eu era a criança gorda de vestido branco esperando que alguém me chamasse de filha. Cresci. A fórceps.

Teve esse dia em que mal consegui esconder minha indignação com Minha Analista. Ela tem muitos livros na sala de espera. De todos os tipos. Bons. Chego e encontro uma edição especial de *Contos de imaginação e mistérios*, do Poe. Protejo o livro no meu colo e espero que ela me chame para a sessão. *Você tem ideia de que livro é esse? Ele não pode ficar aqui. Leva pra casa e guarda.* Sei do que estou falando. Tenho a mesma edição e estou olhando para ela agora. Faz um tempo que ela não coloca novos títulos. Estou deitada entre os dois cestos com livros, mas não consigo ler. Há muito tempo não consigo ler.

Falo sobre como minhas pernas não cabiam no banco de trás do carro da funerária. Havia espaço para os motoristas e o caixão, mas não para minhas pernas, raiva, ressentimento ou o que fosse que estivesse sentindo. Mas me ajustei. Como sempre, me fiz caber. Só cheguei em casa, na minha casa, quatro ou cinco dias depois do enterro. Entrei, tranquei a porta e dormi no sofá enquanto chorava. Era noite quando acordei com dor nas costas e sem saber que dia era aquele. Muita coisa foi perdida, esquecida, imaginada ou protegida.

Ainda hoje minhas costas doem quase que diariamente. Parei de tomar relaxantes musculares porque já não sentia os efeitos e as dores de estômago também se tornaram constantes. Com o tempo, me acostumei com elas. A do pescoço ainda me incomoda um pouco, mas já não tanto. Notei que também estou sempre mordendo o lábio ou batendo os dentes, como se estivesse mastigando algo imaginário. Não sei quando começou, mas não consigo parar. O que me incomoda de verdade é a enxaqueca. Posso fazer uma lista de cada órgão, membro, osso ou músculo do meu corpo que senti nesse ano. Nenhum de maneira agradável. Foram muitas dores, crises, vômitos e lágrimas. Há muita secreção no luto. A sessão terminou e Minha Analista me estendeu a mão. Pensei no meu peso e temi por ela.

Não lembro como me despedi, mas me lembro de olhar para trás e ver Minha Analista entrar na sala de atendimento, aquela para pessoas normais. Saí e passei no mercado – estrategicamente longe da minha casa e da mãe –, e comprei uma vela de sete dias branca; marrom glacê; incenso de canela e cinco litros de vinagre. Cheguei em casa pouco antes das três da tarde e dormi. Acordei de madrugada. A casa aberta. Frio, dor, chorando e sem saber que dia era aquele. Não sentia fome e, mesmo quando sentia, não havia vontade de comer e, quando havia, precisava valer a pena. Quase nunca valia e ficava horas me culpando por ter perdido uma oportunidade como aquela. Fechei as janelas e fui pra cama? Não me lembro. Nem quero.

8.

Voltei no dia seguinte. Chamei um táxi. A mãe andava muito de ônibus e era cedo para assumir que ela jamais faria isso de novo. Táxi não. Ela nunca andava de táxi. "Não rasgo dinheiro." Ela também não pedia comida, não ia ao cinema, não contratava ajuda para casa, não tomava café na rua ou comprava coisas fora da promoção. Só para os netos e para os cães. Perto da morte, ela passou a fazer essas coisas. Na única vez em que fomos ao cinema juntas, eu paguei por tudo exatamente como fazia quando ia com Minha Filha. Ela me disse que não ia ao cinema havia 38 anos. Eu tinha 38 na época. Assistimos *Moana*.

Atravessei o tapete, passei pela orquídea, disse oi e, quase três anos depois, deitei no divã pela primeira vez. Eu não sabia, mas o coração da Minha Analista acelerou. Havia algum tempo, vinha falando sobre a vontade que sentia de me deitar e a dificuldade, medo ou vergonha que não me deixavam fazer isso. Muitas e muitas vezes fiz a sessão olhando para aquele sofá branco de couro sem braços e sem encosto. Inofensivo. Ocupava boa parte da parede logo abaixo do ar condicionado e ficava de frente para a janela, semicoberta por uma persiana de madeira. A primeira coisa que notei é que a forma como a luz entra por ela é gradual, quase como uma paleta de sol. Ainda hoje me encanto e me distraio com essa imagem. Antes eu não sabia nomear o que me impedia de deitar, hoje falo dela em todas as sessões. No auge da minha resistência inconsciente fui procurar o significado do divã e, antes que caísse em algum texto psicanalítico, li que para os muçulmanos é uma coletânea de obras literárias de um ou vários autores. Naquela época, não estava disposta a ler.

Entro e deito.

Mas a imagem que tenho em mente, a que guardei desse momento, é diferente. É como se eu estivesse de pé, ao lado da Minha Analista, e me visse sentada no sofá quando ela abre a porta. Vejo quando levanto, entro e deito no divã. Sem dúvidas, medos ou receios. Como se aquele fosse meu lugar no mundo, como se fosse a milésima vez que fazia aquilo. Um dia qualquer. Vejo quando apoio minha cabeça no travesseiro, sobre a toalha branca bordada recém-trocada. Ajeito meu corpo para ficar confortável e me sinto melhor quando me lembro, com certeza, de que aquele par de tênis não é o que usei no enterro. Os pés estão posicionados de frente à janela e ao lado esquerdo do bambu Mossoró. Dobro as pernas como se estivesse em posição de lótus, o que nunca consigo normalmente. Respiro fundo e observo a persiana. Há luz.

Você sabia que os mortos são enterrados descalços? Meu irmão que me contou. Lembro que separei o All Star branco favorito dela e ele também levou uma sapatilha que ela sempre usava. Essa lembrança me devolve ao meu corpo. A mãe foi enterrada com um vestido jeans que ela comprou dias antes de morrer. Quando minha tia perguntou que vestido era aquele, quando ela doava parte de suas roupas para quem estivesse naquele quarto, a Minha Mãe disse que era para um dia especial. Olhou para mim, reforçou que ele era para uma situação especial e devolveu ao guarda-roupa. Ela já estava bem doente. Anos antes, eu morava numa cidade do interior do Mato Grosso do Sul e houve uma tempestade. A cidade estava destruída e isolada das demais. Não tínhamos telefones ou internet, só rádio. A defesa civil alertou para uma nova tempestade naquele mesmo dia. A lembrança é do medo que senti, ao deitar do lado da Minha Filha enquanto o pai dela segurava as janelas para que não abrissem. Éramos casados na época e me lembro de olhar para trás e me sentir segura. Dormi abraçada à minha filha e acordei impressionada com os estragos. Decidimos abastecer o carro e comprar água e comida. A segunda tempestade não foi tão forte. Quando voltaram os telefones, liguei para a mãe. Para minha surpresa, ela me contou que naquela noite, na noite da tempestade, ela estava viajando e viveu aquilo no ônibus, que teve que parar na estrada por risco de tombar. "Não quis dormir porque, se fosse morrer, queria estar acordada para saber como é." *Será que ela soube?*

No luto, a dificuldade é ficar de pé. Acho que já conversei sobre esse sentimento – é *um sentimento?* – várias vezes com Minha Analista. Deitada no divã, as coisas se tornam suportáveis. Naqueles dias, nos piores dias, se fosse possível, eu invadiria o consultório e dormiria no divã, abraçada à orquídea branca. Mas não posso. Houve esse momento em que estar sozinha e em silêncio foi essencial para sobreviver. A sensação de desperdício, de uma vida que eu tinha certeza que não deveria ter, de não ter feito nada que tornasse o dia anterior digno. Não precisava ser memorável, apenas digno.

A mãe acordava cedo, fazia café, conversava com os cachorros, varria a calçada, fazia almoço, via televisão, passeava na rua, caminhava, tinha amigas, ia na hidroginástica, visitava os filhos, resgatava cães e gatos de rua e ria alto. Muito alto. Eu não. Acordar sempre foi difícil. Mais que dormir, inclusive. Assim que terminei a faculdade, houve esse período em que eu acordava sempre na mesma hora, ouvindo sempre a mesma música – péssima – e estava no minúsculo quarto que não tinha espaço para o meu corpo, sonhos, ambições, identidade, frustrações e medos.

Não tenho ideia do que a vida quer de mim.

Sinto segurança nas repetições. Consigo me lembrar dos rituais que me acompanharam como marcas do tempo. Cada um deles estava ligado à expectativa de uma vida que eu deveria estar vivendo, que tinha imaginado ou desejado e não à minha realidade. Ser uma pessoa funcional e bem-sucedida. Abrir os olhos; ignorar o alarme do celular para evitar a dor de cabeça horrível que sinto sempre que interrompo o efeito do remédio; me sentir um lixo por isso; fazer um café ruim só para mim; e não abrir a porta da frente. Nunca. Antes os rituais eram meus, agora incluem outras pessoas, mas isso não os torna menos solitários. Continuam sendo formas de expressão da minha desorientação.

Tenho essa fantasia de acordar cedo, meditar, ler, escrever e, então, cuidar do ordinário. A vida dos outros. Sair da cama, abrir a porta para os cachorros, assistir a um vídeo da minha monja favorita, trocar café por chá, lembrar de tomar o remédio. Mesmo para sair do meu ritual, tenho outro ritual. Depois que **Minha Mãe Morreu**, demorei mais no banho; escrevi poesia; planejei um zine; chorei em público; pedi ajuda; fiquei em silêncio; fiz pão; dormi por dias sem lençol no colchão cru; comprei dois travesseiros bons; matei quatro samambaias e tenho lutado pela vida de duas; aprendi a temperar feijão; salguei demais o feijão; matei um cacto; fui duas vezes no mar e duas na cachoeira; briguei com minha amiga; pesquisei o preço de coroa de flores; deixei de ser a pessoa que oferece suporte quando a filha de uma amiga nasce para ser a amiga que oferece suporte quando a mãe de uma desconhecida morre; só ri honestamente; pedi desculpas pelos meus erros (até os mais grotescos); meditei e fingi que meditei; gritei; engasguei; falhei em múltiplos trabalhos manuais; fiz apenas o essencial para manter Minha Filha, meus cães e, com alguma sorte, eu mesma com vida.

Um dos cães morreu.

Eu não sei o que a morte quer de mim.

9.

O que sei, o que tenho certeza, é que, como mulher, é imprescindível para o bem-estar da sociedade que eu esteja sorrindo. Mesmo quando estou na dúvida entre comprimidos, enforcamento ou tiro na boca. Não gosto da ideia de me matar tanto quanto não tenho gostado da ideia de estar viva. Mas estou sorrindo. Estou comprometida com o equilíbrio de uma sociedade que não tem lugar para tristeza, que não sabe o que fazer com uma mulher de luto. Decidi ser feliz mesmo que isso me torne miserável. Mal consigo lembrar quando isso começou. Quando a infelicidade atravessa gerações, colocá-la numa linha do tempo é reduzir sua importância na história. Procuro por lembranças que me mostrem mulheres felizes, genuinamente felizes. Não sei se encontro. Estão sempre cercadas de homens, crianças, afazeres e problemas. *Quando eu for magra e casada tudo será melhor.* Não foi.

Muitas pessoas me dizem que a saudade será diferente quando a morte da mãe completar um ano. Todos falam dos estágios do luto, mas ninguém me fala como seguir adiante num mundo em que **Minha Mãe morreu**. Um médico me disse que o luto duraria sete anos. Ele nem estava trabalhando, só estávamos conversando. Fui obrigada a parar de falar com ele. Fui obrigada a parar de falar. Sair de casa é dolorido. Não é sobre gostar ou não do trabalho (eu gosto); suportar ou não a luz do dia (eu suporto) ou falar ou não com as pessoas (eu falo). É sobre abrir os olhos e saber que **Minha Mãe Morreu**. É verdade, é um fato, está posto. A morte da Minha Mãe fez com que ela se tornasse muito mais presente na minha vida do que eu podia suportar. A vida que ela teve a tornou muito mais ausente na minha vida e eu tive que suportar. *O que eu sou agora?* Pode parecer uma coisa besta, mas é muito difícil lidar com a ausência que antecede a morte e é materializada por ela. Tem um poema[12] da Adília Lopes que diz que

as mães são filhas das filhas

e as filhas são mães das mães

Quando o caixão desceu naquela cova e joguei pétalas de rosas vermelhas sobre ele, eu ainda era filha? A Minha Filha estava com o pai em outra cidade e eu ainda era mãe? Minhas únicas certezas são que ambas teriam orgulho da roupa que escolhi – preto emagrece; vestido com tênis é muito legal – e que eu não sabia o que fazer ali. Mas, naquele momento, cumpri o papel de mãe e entreguei uma filha a seus pais. Poucos dias antes de morrer, Minha Mãe me perguntou se eu me sentia sozinha. Menti que não. Mentir era uma constante em nossa relação. Tem essa parte minha que fica feliz por ela não poder me perguntar isso hoje. Não queria que ela me visse soluçar de solidão. Eu me sentia sozinha quando ela estava viva. Agora, sinto a privação de forma brutal. O luto é uma besta. O túmulo da Minha Mãe fica entre muitos ipês. Era a árvore favorita dela. Tenho essa memória de infância, dela falando do seu amor por essas árvores. Não lembro quando foi a primeira vez, na verdade, a mãe tinha poucos momentos de nostalgia quando estava comigo e, em todos eles, eu me aproveitava para recolher algo dela para mim. Sobre a grande quantidade de camisetas básicas coloridas, o fato dela ter bordado meu enxoval. Ela gostava de bordar e costurar. O paraíso dela seria algo com água (piscina ou mar), cachorros e ipês. "Acho lindo quando o chão de Campo Grande está coberto pelas flores dos ipês." Lembro disso enquanto jogo pétalas de rosas sobre seu caixão. Havia muitos ipês em volta do túmulo, mas não pude pegar suas flores. Não lembro qual era o favorito dela. Já puxei todas as lembranças em que ela falava para mim ou para outras pessoas sobre como gostava dessas árvores e me lembro dela mencionar a cor, mas não lembro qual era. Foi como aquela vez em que fui a um cinema no Solar do Unhão e assisti *Suite Habana*. Tenho duas memórias muito fortes desse dia e ambas marcadas pela ausência. A primeira é sobre o comentário que o cara ao lado fez. Esse filme é... e usou uma palavra tão maravilhosa e única que a escondi num lugar tão profundo de mim que nunca mais a recuperei. A outra é da frase que fecha o filme, dizendo que uma das pessoas não sonha mais. Passei um bom tempo sem sonhar. Entre o nascimento da Minha Filha e a morte da Minha Mãe, há o imenso coma do meu desejo.

Conto para a Minha Analista sobre aquele túmulo. A primeira vez que o vi foi na morte do primo, há quinze anos. Depois teve a morte do vô, meses depois, a da vó. E, então, a morte da mãe. Não sei quanto tempo se passaram entre eles, mas tenho certeza dos quinze anos porque meus irmãos foram exumar os ossos dele para colocarmos o corpo da mãe. Não é muito diferente de um almoço de domingo. Uns se levantam para que outros possam sentar. Mas tinha esse túmulo que era de uma criança. Sobre ele, duas bonecas. A cada enterro, elas estavam lá. Deitadas no chão, sobre a lápide. Nunca tive coragem de ler.

Acabou. Acabou outra sessão. Preciso levantar e voltar para casa. Entrar pela cozinha e trancar a porta com chave. A porta da sala, a entrada principal, só seria aberta dezoito meses depois da morte da mãe. Por muitos e muitos meses, ela não apenas estaria trancada como teria caixas de papelão e plástico impedindo que fosse aberta. Eu havia me mudado para aquela casa dois meses antes da mãe morrer. Sequer tinha aberto as caixas quando as coisas dela – roupas, móveis, batons, plantas, cachorra – foram trazidas. Foi dessa forma que nós, Minha Filha e eu vivemos por muitos meses. Entre caixas, lágrimas, silêncios e negações.

10.

Nós somos insuportavelmente parecidas. Minha Mãe, Minha Filha e Eu. Digo fisicamente e nos defeitos. Quando nos viam juntas ou separadas, as pessoas recorriam a frases prontas como "não dá nem pra negar" ou "a maçã não cai longe da macieira" e eu sempre respondo que a genética é cruel. Minha Filha adotou a frase e sinto orgulho disso. Temos duas fotos em que estamos as três juntas. Numa estamos felizes e na outra disfarçamos o desconforto de estarmos lado a lado.

Quer dizer, Minha Mãe e Minha Filha disfarçam. Hoje me arrependo de ter estragado metade das nossas lembranças. O nariz. O nariz que todos elogiam veio dela. Ela sempre dizia que tínhamos de ser gratas por ele. De fato, Minha Mãe nos deu de graça o que muitas pessoas pagam para ter e não conseguem. Eu queria outras coisas.

Não sei o que Minha Filha quer.

Entro no elevador e sei que vou voltar para a próxima sessão. No luto, entendi o valor dos óculos escuros. Choro. Choro o tempo todo. Mais do que queria. Choro de soluçar, em silêncio, sem perceber. Não choro no divã. O resto do dia segue como se Minha Mãe fosse uma vaga lembrança. Ela morreu aos 68 e eu tinha 39. Mais da metade do meu tempo, estivemos em cidades ou estados diferentes. É como se essa dinâmica ainda valesse, como se a mãe ainda vivesse num espaço geográfico longe do meu alcance. Mas existem esses momentos de realidade dura.

Foi rápido. Bem mais rápido que os dias entre o diagnóstico e sua morte. Bem mais rápido que os anos entre seu nascimento e minha morte. Falta uma semana para completar um ano que **Minha Mãe Morreu**, e quando o telefone fixo toca, ainda acho que é ela. Talvez seja por isso que não o cortei até hoje. Nós éramos razoáveis no telefone.

Foi tudo muito rápido. Minha psiquiatra disse que a mãe morreu de uma doença, mas com a velocidade e a violência de um acidente. Luto. Luto. Estou exausta. O problema de não falarmos sobre a morte ou o luto é que quando eles acontecem não temos referencial para lidar com eles. O que eu diria na cabeceira do caixão? O que eu diria para todas aquelas pessoas que também perderam alguém? Irmãs, irmãos, sobrinhos, primos, amigos e netos. O que eu diria para aqueles que estiveram com ela em muitos momentos de sua vida, mas não ali? O que você diz quando sua mãe morre além de **Minha Mãe Morreu**? Eu não disse nada.

Há uma parte da minha vida que eu só podia falar com a Minha Mãe. Quando éramos apenas ela e eu. Antes dela se casar, se mudar da nossa cidade natal, parar de trabalhar, ter outros filhos, parar de sorrir e, por fim, conversar comigo. Essa mãe, Minha Mãe, tinha morrido antes, bem antes. Quando ela voltou a trabalhar e podia ser um exemplo para mim, era tarde. Havia um abismo. Minha Mãe foi tudo o que se espera de uma mulher: magra, esposa, mãe, dona de casa, frustrada e infeliz. Pensando nela como uma mulher solitária, triste e com medo, fui capaz de humanizá-la e isso foi tão ou mais dolorido que sua morte. Tudo aquilo que Minha Mãe não foi por conta da maternidade se voltou contra mim, e ser, apenas ser, era uma traição imensa a ela.

A verdade é que nenhuma de nós estava olhando para a outra. Agora que ela é morta, conto minha versão. Nenhuma de nós duas sabia que ia acabar assim. Acabou. Não deu tempo. Essa mulher ninguém conheceu. A morte jogou terra sobre esse mundo e destruiu qualquer possibilidade de reparação. Não sei do que a Minha Mãe tinha medo quando era criança. Ela quase nunca falava de si para mim e o pouco que me contava guardei como herança. "Eu achava que quem tinha olho azul enxergava tudo azul, e quem tinha olho verde via tudo verde", contou enquanto fritava almôndegas. Só sorriu. Não lembro quando ela parou de gargalhar por alegria e começou por sadismo. Também me contou do medo que sentiu quando assistiu *O Exorcista*. É meu filme favorito. Pessoas riem quando conto que é meu filme conforto, mas é. Quando a mãe foi internada e era meu dia na escala para estar com ela no hospital, levei três livros. Esse era um deles. Não li. Ela precisava de ajuda para muitas coisas. Quando eu era criança, ela me pedia ajuda para empurrar o guarda-roupa pelos cômodos sempre que se entediava, e agora eu precisava levá-la ao banheiro.

11.

Em casa, deitei no chão e peguei um livro. Li por algumas horas e dormi abraçada à Mary Shelley. Ela me ensinou que *para descobrir as causas da vida, temos de recorrer à morte*. Não é certo dizer que isso acontece quando acordo de manhã porque o dormir mudou, não sei se durmo. Quando engravidei, me disseram que nunca mais dormiria do mesmo jeito. Minha Filha nasceu e, desde então, acordo com qualquer possibilidade de ruído. É como se uma parte minha estivesse sempre atenta ao porvir. Com a Morte da Minha Mãe, uma parte minha quer dormir como antes, mas durmo de um jeito desconhecido. Não como filha ou mãe ou pessoa. Durmo como outra coisa que não sei nomear. A morte da mãe tem esse poder. Levou e destruiu o que tinha como básico, vital e sagrado. Não fui eu quem deu esse poder para a morte e não há nada que eu possa fazer sobre isso. Esse extermínio me deixou sem casa. Morte e maternidade são muito próximas.

Durmo com a ajuda de remédios. Não, durmo com a intervenção de remédios. É uma combinação complexa. Pouco antes da mãe morrer, as crises de ansiedade voltaram com força. Depois da morte, elas se somaram ao luto e à depressão. Eu não estava me adaptando aos remédios. Uns me faziam dormir demais, outros menos. Então, por conta própria, eu administrava os comprimidos seguindo a agenda do dia seguinte. Se pudesse dormir mais, tomaria o remédio 1; se tivesse alguma atividade de risco, o 2; e se fosse final de semana, sem qualquer compromisso, o remédio 3. Não passava pela minha cabeça tomar todos de uma vez. Jamais pensei nisso. Mas também nunca comprei um aparelho de barbear tradicional. Mesmo sabendo que é uma medida importante para levar uma vida com menos lixo, como eu almejava. Tive uma crise de ansiedade diante da prateleira.

E se eu não conseguir evitar? E se essa parte que quer morrer vencer? Não comprei na época e nem hoje. Talvez nunca.

Entre engolir o comprimido e dormir existe esse tempo em que permito que o luto me atravesse. É o único momento em que me autorizo a pensar sem filtro. Algo na morte me comove. Quando uma pessoa morre, mesmo suas coisas mais insuportáveis ganham sentido e tornam a ausência mais dolorosa. Não há nada de novo nisso tudo. Todos sabemos que é assim. O que não sabemos é como sentir isso. *Como sentir a morte de uma mãe? Como devo chorar ou sentir saudades de alguém que me machucou tanto, de tantas formas, por tantos anos, de maneira consciente e inconsciente? Como posso sentir saudades?* Na liturgia do funeral, o padre disse que bem-aventurados são aqueles que choram porque serão consolados. Isso claramente foi escrito antes da Internet.

Um dos efeitos colaterais da minha medicação é sonhar. Já vinha sonhando antes da mãe morrer, mas quando a psiquiatra dobrou a dose dos remédios, a dose de surrealismo também aumentou. Era como se eu tivesse uma coleção privada de animes do Studio Ghibli. Há um padrão de traços, cenários, personagens, vozes e cores. A água é sempre salgada, os animais nunca são assustadores e as ruas são sempre vazias. O tom, as cores e as sombras. É um diálogo muito particular. Num desses sonhos, eu estava num cômodo todo branco e muito iluminado. Havia apenas um divã reto, simples e preto diante de uma janela imensa de madeira. Branca. Não fosse o seu formato e os vidros, seria apenas parte da parede. A janela é daquelas antigas, que só existem nas lembranças das casas de nossas avós ou em depósitos de demolição. Quanto mais eu me aproximava, maior a janela ficava. Ajoelhei no divã, estiquei os braços e a abri. Inclinei meu corpo para que a janela pudesse se abrir completamente. Foi quando vi o tubarão pela primeira vez. Luminoso, lindo e calmo. Tão grande que eu podia ver detalhes de seus olhos, narinas, focinho e boca. Dentes, tantos dentes. *Nós já nos conhecemos.* Meu coração estava disparado, mas não era medo. Era outra coisa. Nada separava o fundo, muito fundo do mar, daquele cômodo. Não havia nada que impedisse a água de entrar ou a mim de sair. Não havia pressão. Eu apenas era. Assim como o tubarão, a água, o divã e o silêncio. Havia essa pequena euforia em mim. Foi quando me virei e estendi minha mão para uma menina assustada que estava de pé, no canto do cômodo. Ela parecia ser minhamãe-eu-minhafilha. *Vem ver comigo. Eu te protejo.*

Silêncio

1.

Ela morreu.

2.

Toda quinta-feira, o caminhão do ovo passa na rua onde moro. Duas vezes pela manhã, sendo a primeira logo depois das 8 horas e outra um pouco antes das 11 horas. Trinta ovos por onze reais ou 28 por dez. Sei quando o caminhão se aproxima pela música. Não é bem uma melodia, mas uma junção de sons peculiares. Antes, bem antes, comprava os ovos e conversava de leve com o vendedor. Não sei o nome dele, nem ele o meu. Quase ninguém sabe pronunciar meu nome. Foi um presente que Minha Mãe me deu. A oportunidade de sempre ter que explicar minha origem para estranhos, mesmo que não tenha a menor ideia dela. *Minha Mãe Não É Fanha.* "Que coisa idiota para se dizer." O vendedor de ovos, assim como o carteiro ou verdureiro, costumava saber onde moram todas as pessoas da minha família. Desde a morte da mãe, eu só saio de casa por questões vitais. Casa-trabalho-terapia-escola da Minha Filha-análise-psiquiatra-mercado-casa. Semanas depois da morte da Minha Mãe, uma amiga me chamou para comer um lanche. Fomos e tive uma crise de ansiedade, imaginando o que as pessoas estariam pensando sobre mim. Minha Mãe Morreu e estou comendo. *Ela ia achar que estou gastando dinheiro à toa ou que ela não valia tanto. E se eu encontrar alguém conhecido?* Minha cabeça era uma terra devastada pelo líquido amniótico da morte.

Sair foi um processo gradual. Aos poucos, ia incluindo algumas atividades, como meditação nas noites de segunda e o clube de leitura uma vez por mês, aos sábados. *Leia!* Comecei a andar por lugares diferentes, buscando por pessoas que não soubessem quem sou, de quem nasci ou quem pari. Mas não importava onde eu estava, encontrava alguém que queria saber sobre a mãe e eu precisava dizer a frase. A mãe morreu para muita gente e tive que consolá-los por sua perda. *Ela morreu.*

Algo importante sobre minha família é que, desde os mais remotos tempos, sempre moramos perto uns dos outros. Metros de distância. Centímetros não seria exagero. Esse foi um costume que perdeu força conforme as pessoas foram morrendo, mas nossa memória familiar é formada por essa proximidade. Física. Na mesma rua, a vó e o vô, uma tia, outra tia, um tio, aquela tia, outro tio e, é claro, a tia, o tio e nós. Quando nos mudamos de cidade, estado e idade, fomos morar junto ou na mesma rua que a mãe. Moramos num bairro de periferia e, quando pensamos no sentido centro-bairro, a casa da mãe com os irmãos era a primeira; na mesma rua, mas na quadra seguinte, a minha; e uma quadra abaixo, outro irmão. Dois meses antes de morrer, a mãe quebrou essa tradição e mudou-se para o outro lado da cidade. *Será castigo?* Foi quando ela adoeceu e, com a velocidade e a violência de um acidente, morreu. Todos se foram para suas vidas em outros lugares e eu fiquei. Coube a mim responder ao carteiro, ao dono da loja de ferragens, ao motorista do ônibus, à vizinha que era companheira de caminhada com as cachorras idosas, às atendentes da padaria e, agora, ao vendedor de ovos.

Então lá estava ele, sentado na carroceria do caminhão entre centenas de dúzias de ovos brancos, emocionado e falando o quanto a mãe era legal. "Eu gostava muito dela." Enquanto isso, eu estava embaixo do sol, com minha enorme cumbuca rosa, comprada por minha mãe anos atrás, esperando os ovos para poder entrar em casa. Desde então, só compro em hipermercados ou atacadões. Uso como desculpa que prefiro ovos caipiras, que ele não tem. Semanas depois, surgiu um novo vendedor que passa aos domingos e tem ovos caipiras. Ele passa pela rua gritando oveiro. "Coveiro." Foi isso que ouvi da primeira vez. "Coveiro." Chamei Minha Filha para ter certeza e ela ouviu o mesmo. "Coveiro." Hoje rimos disso. Continuo comprando em hipermercados ou atacadões. Não sei onde deixei a cumbuca rosa. Minha Mãe tinha uma igual.

Pouco antes de entrar em casa, vi que os ipês da esquina já estavam floridos. Estava obcecada por ipês. Não conseguia me lembrar qual cor era a favorita da mãe, então, me agarrei a todas. Nos dias muito ruins, demasiadamente ruins, Minha Analista me mandava fotos dos ipês que ela via pela cidade. *Isso é vínculo?* Até então, eles eram invisíveis. Todos eles. Os da esquina de casa, do caminho para a terapia ou para o trabalho. Até mesmo a floresta de ipês brancos do bosque era invisível. Eles eram uma alegoria da contradição da morte. Enquanto Minha Mãe estava ali, viva, eu não pensava nos ipês, assim como não pensava no que ela gostava, queria ou precisava. Agora, que ela é morta e não a vejo mais, meus olhos são invadidos por ipês que sempre estiveram ali.

Não há nada de poético ou sobrenatural nisso.

Apenas triste e solitário.
Quando o bosque dos ipês brancos floriu, fui até lá. Não sei o que esperava. Talvez algo como nos filmes. Que eu a visse e descobrisse que ela forjou a própria morte porque estava cansada de nós; que ela sussurrasse no meu ouvido sua cor favorita de ipê ou que o luto acabasse. A temperatura estava amena e logo que entrei, fiquei descalça. Tanto o chão quanto o céu estavam cobertos de flores brancas. Uma redoma de pétalas. Como a que fizeram para Minha Mãe no caixão. Deitei. Escolhi o ponto onde o sol não entrava e deitei. Não sem antes sentir raiva da família que fazia um piquenique, das crianças que corriam ou do casal que namorava. Deitei e esperei. Esperei que, como num filme, uma flor se desprendesse lentamente do galho e caísse delicadamente na minha mão ou no meu rosto, trazendo uma mensagem. *Estou bem.* Nada aconteceu. Nenhuma flor caiu, as crianças não pararam de correr, os namorados não soltaram suas mãos e a família continuou completa. O chão não era confortável, mas abrir e fechar os olhos era.
Claro. Escuro. Branco. Preto. Ipê. Rosa.
Não sei por quanto tempo fiquei assim. Senti inveja das crianças que reclamavam que as flores caíam nelas e indignação com a família que tinha cangas para se proteger da coceira. Peguei um punhado de flores caídas e me questionei se estavam mortas ou livres. Nessa lembrança, as flores caem na minha mão antes de serem livres. Não sei quanto tempo fiquei ou como fui embora, mas ainda me lembro do claro, escuro, branco, preto, ipê, rosa.

3.

Ser enlutada em público é um poderoso exercício de atuação. Jamais tive competência para o teatro. Na única peça que fiz na escola, eu era o amigo drogado que oferecia maconha para o personagem principal. Meu figurino era um All Star de cano baixo branco, uma bermuda jeans preta, camiseta, uma jaqueta jeans clara e um boné. Eu tinha uma única fala e ela deveria ser carregada de sarcasmo. Basicamente uma fancha equivocada. O auditório tinha muitos parentes. Nenhum meu. Ali reconheci minha limitação. Apesar disso, entre meus irmãos, parentes, amigos e colegas, tenho a fama de dramática. Talvez eu seja ou talvez eu só consiga expressar o que sinto ou como me sinto de uma forma que as pessoas notem o que sinto.

Minha amiga astróloga diz que é por causa do signo. Sou sagitário com ascendente em virgem, lua em áries e vênus em escorpião. Eu não acredito. Não acredito em signos ou tarô, mas leio meu mapa astral todos os anos e abro cartas a cada três meses, mais ou menos. Não é contraditório quando penso que acredito que sou capaz de planejar e controlar minha vida, e isso equivale à terra plana da psicanálise.

Diariamente luto com a consciência de que não sei nada e que realizei meu sonho de infância de ser astronauta porque estou à deriva no espaço. Sem controle, sem instruções, só com um traje espacial precário, silêncio e algumas certezas possivelmente equivocadas. Então, quando olho para os signos ou para o tarô ou para a borra de café ou para as runas, vem essa sensação temporária de que existe uma bula, um mapa ou rota possível.

Não há. É mentira que a gente cresce e aprende a viver. Mentira. A gente aprende como ganhar dinheiro para se manter; como e quando sorrir para as pessoas, a não dizer "estou um lixo e me sinto a própria caçamba" para não incomodar a pessoa que pergunta como estou, mesmo sabendo que ela realmente se importa comigo; a separar as roupas escuras das claras na hora de lavar; a ler rótulos; a chorar de noite para não assustar as crianças; a fritar a cebola e saborear o cheiro; a tomar dois ou mais litros de água por dia. Isso tudo é saber, mas não é saber viver. Também não sei dizer o que é porque o ressentimento é um poderoso cordão umbilical. Gosto de dizer isso para as pessoas próximas. *Ninguém sabe como viver, se acalma.* Talvez seja meu trabalho jornalístico mais intenso e consistente: mostrar que ninguém sabe o que está fazendo. Alguns sabem atuar. Outros se contentam com um figurino datado.

Fico pensando nas vezes em que Minha Mãe e eu conversávamos sobre como ser adulta. Eu fazia perguntas que considerava importantes para crescer, mas elas apenas expressavam a minha ignorância sobre a condição humana. Queria racionalizar coisas e queria provas e estudos que mostrassem quão certa eu estava. Há quem chame isso de curiosidade, arrogância ou pesquisa. Chamo isso de medo. Minha Mãe nunca disse exatamente como chamava isso, mas sempre fazia aquela cara. Minha Avó sequer levantava o olho para falar disso. Ser filha é ignorar a fragilidade, necessidade e humanidade que existem em nossas mães. É doloroso demais pensar que ela não sabia. Talvez por isso eu pense tanto sobre a infância da mãe e raramente tenha feito a pergunta certa.

Minha Mãe contava que sua primeira lembrança de infância era do momento de sua adoção. Quando sua mãe a tirou da garupa da bicicleta vermelha – *ou o vestido era vermelho?* – e a entregou para sua mãe. Só uma vez, quando criança, perguntei se a mãe sentia raiva da mãe dela por isso e ela deu de ombros. Estávamos deitadas na cama dela e meu irmão era um bebê dormindo no berço ao lado. Lembro-me do ombro subir e descer na velocidade de um suspiro pesado. Minha Mãe contava muitas histórias sobre sua vida pregressa, muitas vezes, conflitantes. Minha Mãe mentia. Um dos meus irmãos me contou que o que ela havia me dito sobre sua origem era mentira. Ela tinha medo que eu fosse atrás. Na época, senti uma coisa que não sei explicar.

Conheci as duas mães da mãe. Aquela que sentava na beira do sofá de casa e tinha cabelos longos, pretos e lisos e me deixava sentar atrás dela para fazer tranças. Hoje entendo ou acho que entendo que não era somente eu entre elas. Também conheci aquela que fazia tricô, falava palavrões e cheirava a Leite de Rosas. Nunca me deixou tocar no seu cabelo, mas ela me conhecia. "Você vai achar alguém que goste de você do jeito que você é. Sem mudar nada." Ela errava bastante e fazia bolos para pedir desculpas. Mas nunca dizia a palavra. Gorda.

Minha Mãe mentia, cantarolava baixo e ria alto. Nós vivemos cinco anos juntas. Apenas ela e eu. Tenho poucas lembranças antes do casamento da mãe, e talvez por isso me agarre tanto a essas histórias. A morte levou o pouco que me tinha sobrado da Minha Mãe. A morte levou toda possibilidade de reparação. Nós jamais riríamos de novo, brigaríamos porque falo demais na hora da novela, provoco os cachorros ou roubo seu desodorante. Ela jamais falaria mal do meu arroz ou bem dos doces que eu trazia da firma. Jamais ouviria a voz da Minha Mãe de novo, leria a palavra mãe no celular que toca ou responderia uma mensagem dela. Talvez por isso, na última noite da mãe no hospital, quando ela já estava em coma, eu tenha me sentado ali. De frente para ela, ao lado das máquinas de morfina, e cantado. Enquanto a mãe ia morrendo, Minha Mãe ia com ela e devastava metade da nossa história juntas, quando éramos

apenas nós duas, mesmo depois do parto. Tudo bem a mãe morrer, eu só queria Minha Mãe de volta. Queria que ela estivesse viva porque carregar sozinha as lembranças daqueles anos é pesado. Minhas costas doem todos os dias. Tomo remédios e escrevo. Olho para aquela mulher que está matando Minha Mãe e dou para ela o que tenho de mais nosso. Seguro a mão e canto para ela dormir. Não foi a primeira vez. Nem a última.
Quem te pôs a mão sabendo que és minha?
Quem te pôs a mão sabendo que és minha?

4.

Há exatamente uma semana, um amigo morreu. Ele esteve em muitos momentos da minha vida e teve uma presença marcante na minha formação pessoal, profissional e imoral. Mas, numa terça-feira de Carnaval, o coração dele doeu mais que o normal. Parou. Voltou. Parou. Dessa forma, ao invés de levar Minha Filha na matinê, como havia prometido, a deixei na casa da melhor amiga e fui ao velório. Lá estava eu, de novo, me despedindo de alguém amado. No entanto, não foi a visão do meu amigo no caixão que me tocou. Não foi seu terno cinza, sua gravata vermelha ou os olhos de corvo que estavam fechados. Foi o choro silencioso da sua irmã.

Ele era a pessoa dela e ela, a dele. Tão importantes um ao outro, que compartilharam até mesmo os traços faciais, a cor da pele, o cabelo e a altura. Cresceram juntos, viram o pai construir um banco de madeira para comportar todas as pessoas que queriam assistir à televisão deles, estavam juntos quando ela engravidou, quando ele conquistou o doutorado e quando cuidaram juntos da mãe até fim. Eles sempre estiveram lá, um pelo outro. Não sei qual deles veio primeiro, mas agora ela estava sem ele. Só. Ela e a baque da perda. *Morreu*. Pessoas se aproximam, falam palavras carinhosas, relembram momentos, abraçam, derrubam lágrimas e saem. Isso é extremamente valoroso. Mas quando as pessoas saem de perto do caixão, uma parte da perda não as acompanha. Foi isso que pensei quando me aproximei dela.

Segurei sua mão e pensei no quanto eu o amo e no quanto queria que ela soubesse. Que ele foi o primeiro a balançar meu texto canetado na minha cara me perguntando se eu sabia o que tinha feito ali. A me dizer sobre o pacto de confiança entre quem lê e quem escreve. Eu confiava nele. Minha Mãe mentia. Ainda com as mãos dela nas minhas, tão parecidas com as dele, fiz uma lista de tudo o que ela precisava saber sobre ele. Entrei nos olhos dela e "sinto muito". É verdade. Sinto muito. Mas sentia por ela. Porque eu sei. Eu sei que assim que agradecemos, as pessoas se afastam e deixam todo luto e perda ali. Lá fora, elas falam de amenidades, comem pão de queijo e tomam café. Ou chá. Relembram o último momento em que estiveram com quem morreu, sentem pena dos familiares, acompanham ou não o enterro, aplaudem o caixão que desce terra abaixo e voltam para suas casas. Feito isso, há o silêncio. Existe um silêncio sobre a morte que sustenta o silêncio coletivo sobre o luto.

5.

Logo depois do enterro, quando as pessoas já tinham ido embora, quando elas perceberam (se perceberam) que a frase "a morte dela acabou com meu dia" é só isso mesmo. Uma frase. Um dia. Mas teve essa pessoa. Que se tornou Minha Pessoa para além da amizade. Pediu desculpas pelo atraso, segurou minha mão e me ensinou como entrar nessa realidade em que a Minha Mãe está morta. É como se houvesse uma sociedade secreta de filhas que perderam as mães. *Mães morrem ou são perdidas?* A mãe dela morreu oito anos antes da minha dando fim a uma amizade que as duas começaram aos vinte anos e chegou até nós pela palavra e se fortaleceu na ausência.

Ela me abriu a porta de um mundo habitado por filhas sem mães. Mulheres que me permitiram falar por meses e meses após a morte da Minha Mãe sobre a morte e o luto. Sem culpa, com dor. Sobre os meses seguintes serem apenas os meses depois do enterro. "O que você fez?" *Enterrei Minha Mãe.* Agora, novamente ao lado de um ipê em flor, enterro meu amigo e alcanço.

Foram essas mulheres que me perguntaram como eu estava meses depois da morte. Foram essas mulheres que me contaram sobre a dor de nunca mais ouvir "Minha Filha". Foram essas mulheres que riram e xingaram quando contei que tinha encontrado um amigo da Minha Mãe na rua e ele havia chorado a ponto de eu ter que consolá-lo. Foram essas mulheres que me explicaram que as cinco fases do luto não representam processos, mas estrada. Foram essas mulheres que me deixaram à vontade para sentir raiva da mãe morta e falar sobre isso. São essas mulheres que me acolhem quando estou chorando sem perceber. São essas mulheres que me autorizam a bater o pé e exigir meu direito ao luto. São essas mulheres que entendem o esforço que o mundo faz para que deixemos de ser filhas para ocuparmos o lugar de nossas mães. Foram essas mulheres que abriram caminho para que eu pudesse me amotinar sem medo e dizer, em voz alta, que ainda que Minha Mãe esteja morta, eu sou Filha.

Finalmente consigo pegar os ovos e entrar em casa, mas desisto de comer. Nem cogito pedir comida. Deixo a cumbuca com algum cuidado na mesa, me jogo na cama crua e durmo. Esse é meu novo ritual. Cada vez que preciso consolar alguém que perdeu a mãe, faço com indulgência e, em seguida, abandono o que iria fazer e durmo. O mundo não tem direito de me exigir nada. Desde o dia em que Minha Mãe me disse chorando que era para eu aproveitar sua presença porque ela não duraria muito, o mundo perdeu o direito de exigir qualquer coisa de mim.

Contudo, entrego o que me pedem. Tento conciliar o que as pessoas imaginam que seja o luto; o luto e a realidade. Tem sido exaustivo. Gostaria que Minha Mãe estivesse aqui para me ajudar nisso, mesmo sabendo que ela não saberia. A maternidade me ensinou que nós nunca sabemos nada e fazemos o melhor possível com quem somos e o que temos à mão. A minha experiência me mostrou que a visão coletiva do luto é formada por uma leitura objetiva e superficial do que seriam os cinco estágios, que eles devem acontecer rápido e que a vida continua. "Os seus irmãos também ficaram assim?"

A vida precisa continuar desesperadamente. Mesmo que ninguém saiba dizer o que é a vida ou como se vive, a vida tem que continuar regular, contida, sociável, aceitável, otimista e feliz. No luto entendi que o desejo de mãe sempre causa estragos. A primeira vez em que procurei terapia por vontade própria, cheguei com um plano de tratamento. *Minha queixa inicial é que sou compulsiva, preciso emagrecer e espero tratar sobre isso nos próximos três meses para que possamos seguir para o segundo ponto.* Não fiquei muito tempo. Ela quis falar sobre Minha Mãe. Na porta da sala de atendimento, estendi o dinheiro à terapeuta e disse que não queria falar sobre ela e por isso estava indo embora. Na luta entendi que o desejo da mãe sempre causa estragos.

Talvez seja essa a hora de contar algo em que raramente me permito pensar. Pouco antes da morte da mãe, nós estávamos brigadas. Apenas dois meses separam nossa tímida reaproximação e sua morte. As poucas vezes em que toquei no assunto, as pessoas reagiram com pena de mim. Suponho que elas imaginem o tamanho da Minha Culpa ou como fico remoendo esses momentos distantes dela sempre com a moldura do "se".

A verdade é que não sinto culpa por ter brigado com a mãe. E é esse o ponto que me deixa culpada. Exatamente a mesma culpa que senti logo após o divórcio e a decisão da guarda compartilhada. Eu sentia culpa por não me sentir culpada por Minha Filha estar com o pai dela. Todo esse peso de ser uma boa filha, ser uma boa esposa e ser uma boa mãe me impede de ser. Há um padrão aqui. Não meu, mas dos outros. Pessoas que não enterraram suas mães costumam me perguntar se me sinto livre para ser, existir ou transitar pelo mundo. Escuto, mas não ouço. "Me desculpa, mas eu imagino que depois que a mãe da gente morre, a gente consegue ser mais livre." Não respondo. O que eu diria?

Talvez sim. Talvez eu me sinta mais livre para queimar o arroz ou deixar a roupa por dias no varal ou escolher meus próprios lençóis. Mas, logo em seguida, eu lembro. Sei o que ela diria se chegasse e encontrasse a mim ou minha casa desse jeito, cheias de fendas e feridas. Sim, eu me sinto livre porque eu enterrei a Minha Mãe. Viajei com o corpo dela por horas e horas no escuro ouvindo o caixão bater nas minhas costas, expliquei para homens sonolentos como eles deveriam usar rosas amarelas em volta da cabeça imóvel da Minha Mãe e desisti diante dos olhos estralados e escuros de sono e tédio. Fria. Não pude apertar a mão da Minha Mãe como eu queria para não deixar marcas no cadáver. Minha Mãe. Vi o caixão ser fechado ao som de um trompete como se isso representasse todo respeito que ela merecia por ter se tornado invisível ao me ter. Depois que seus filhos, irmãos e sobrinhos a levaram até a cova delicadamente disfarçada com feltro verde, a vi descer e tive que jogar rosas vermelhas para amenizar a realidade de que, assim que fôssemos embora, dois homens jogariam terra sobre aquela caixa cara de madeira onde estava o corpo de alguém que eu conheci a vida toda como Minha Mãe. Mas toda essa cena serve principalmente para amenizar a consciência de que todos nós morreremos um dia. Até você. Tem dias que me sinto um pouco mais livre. Mas tem dias que não saio de casa porque eu sei que toda minha dor, raiva, medo e solidão serão resumidos a uma 'bad' ou pessimismo ou algo que vai estragar o dia de quem teve o azar de me ver. Sim, eu me sinto livre para ser quem eu sou e fazer o que quero porque Minha Mãe está morta e nada pode doer mais que isso. Mas quando me perguntam se me sinto mais livre é porque a pessoa, em algum momento, tropeçou num texto de psicanálise ou em sua inabilidade de administrar sua própria vida ou sua própria mãe e procura em mim a confirmação de uma teoria. Então, sim. Eu sei que Freud ou Lacan, ou seja lá quem for, estava certo ao dizer que para nascer a filha é preciso morrer a mãe. Sei por sentir e não porque eu não dou conta da minha existência ou estou triste com a mamãe, me sinto deslocada ou li um artigo na internet. Eu sei porque eu enterrei a Minha Mãe várias e várias e várias vezes. Sim, eu me sinto livre. Minha Mãe Morreu e isso acabou com a pessoa que eu era e que você deseja que volte para o seu conforto. Eu sou livre porque sei que toda mãe morre e a vida continua. O que me torna livre não é a morte da Minha Mãe. O que me torna livre é saber que um oceano inteiro morreu com ela e ninguém se importa.

Nunca respondo ou falo que estávamos brigadas.

A briga com a Minha Mãe foi um ato de reintegração de posse.

6.

Minha Mãe mentia e nunca me contou coisas simples sobre meu nascimento. A cor de roupa que eu usava quando nós duas saímos da maternidade, como foi quando nos conhecemos ou quem chorou primeiro ou se choramos juntas. Desse dia, ela me falava sobre suas dores e solidão. Não lembro se ela contou onde ela estava quando sentiu as primeiras dores ou como chegou ao hospital. "Passei o dia todo lá, com dor. Pedi ajuda para uma enfermeira e ela me disse que se eu aguentei fazer deveria aguentar sair. Senti um ódio tão grande." Em determinado momento, as dores pioraram e, além do choro da mãe, era possível ouvir o show que acontecia numa boate a poucos metros da maternidade.

Cada vez a mãe dizia que era alguém diferente. Belchior, Ney Matogrosso, Rita Lee. A mãe tinha essa coisa de nunca contar a verdade. Era mais do que mentir apenas. A gente mente dizendo que está bem quando não está; sobre o preço de algo caro; sobre não comprar aquele livro. Mas a mãe mentia sobre sua mãe, seu pai e sua filha. Isso é mais que mentir, e mesmo assim segue sem nome. A primeira obra de ficção que conheci foi meu nascimento. *Como a gente sabe que nasceu?* Depois de horas de dor e quinze minutos antes do dia terminar, existiu uma cesariana.

Não me lembro como nos conhecemos, se ela cantava para mim ou o que falava enquanto bordava o que seria meu enxoval e eu dormia na água da sua barriga. Nunca vi nenhuma peça bordada, mas a ouvi contando isso uma ou duas vezes para outras pessoas que não eu. Ela tinha muito orgulho daquele enxoval.

Não sei se quando nos encontramos pessoalmente o dezembro era quente e abafado, se as casas e ruas já estavam enfeitadas para o Natal ou se a florada dos ipês amarelos já tinha começado. Tampouco me lembro de como foi a primeira vez que nos olhamos, se houve silêncio, se ela tocou na minha mão e eu fechei meus dedos como retribuição. Nunca soube como foi e sempre tive essa certeza ridícula de que poderia perguntar a qualquer momento. De que haveria tempo para nos reconciliarmos e ela me contar como foi. Não houve. Jamais haverá. Mas algo ficou. O cheiro da Minha Mãe. É uma memória tão concreta que inspiro o perfume e expiro lágrimas. Flores de cerejeira.

"Te coloquei naquela colcha com os ipês que eu havia bordado, enrolei para que você ainda se sentisse em mim e fomos para casa sermos uma família." Ela nunca disse isso, ela nunca disse muitas coisas. "Engravidei porque queria ser amada. Engravidei para ter certeza de que alguém me amaria." Ela sempre dizia isso. Eu sempre soube o motivo de ter nascido e talvez por isso tenha sido tudo tão difícil. Amar Minha Mãe não foi consequência, fato ou escolha. Era uma obrigação, um trabalho.

Profissão: Filha.

Cada vez que me lembro disso, perco o sono e sinto dores musculares intensas. Sou muito eficiente na somatização. Fui aperfeiçoando esse talento com o passar das frustrações. Elas foram ficando cada vez mais simples e líricas. Como quando me divorciei. Tive uma alergia tão forte no dedo anelar, onde antes estava a aliança, que a pele descamou e deu espaço a uma grande e circular lesão vermelha. Exatamente como uma aliança de expurgo. Também teve aquela vez em que, logo depois da morte da mãe, minha capacidade auditiva caiu a ponto de eu mal ouvir quando chamavam meu nome. Mas agora há o revezamento entre enxaqueca e sinusite.

Ainda não durmo bem mesmo recorrendo aos remédios. Ontem Minha Psiquiatra me disse para dobrar a dose quando estiver realmente difícil dormir. Continuo sem diagnóstico psiquiátrico e isso ainda me angustia. Funciona melhor quando temos uma resposta. Vez em quando procuro por alguma explicação, um diagnóstico que diga por que foi tão difícil ser filha.

Era simples. Eu só tinha que amar a Minha Mãe. Ela sempre foi uma mulher bonita, divertida e ambiciosa. Lembro de mim, pequena e silenciosa, sentada no sofá da casa da Minha Avó esperando que ela voltasse do trabalho. Essa foi a época em que a Minha Mãe mais se pareceu com a mãe da Minha Filha. Tinha filha, carreira, casa, rotina e sorria. Nessa época, ela entrava pela porta e me abraçava. Depois de um tempo, isso se tornou raro. Voltar, sorrir, abraçar, falar. Tão raro que nossas melhores conversas aconteceram antes dela morrer definitivamente.

7.

Eu deveria ter desconfiado da doença quando ela aceitou meu convite para ir ao cinema. Foi nossa primeira e única vez. Perguntei com medo dela negar e, novamente, eu ter que elaborar uma nova rejeição. O sim foi tão tímido quanto o convite e até hoje penso no quanto eu era uma estranha para ela. Um corpo estranho que se apossou dela de dentro para fora. Alguém que, sem vocação para amar, frustrou sua expectativa. Não me lembro do que falamos embora me lembre de cada um dos passos que demos. O táxi, o cappuccino com bolo no café do shopping, a ansiedade dela pela pipoca com manteiga do cinema, o balde promocional de *Star Wars* no formato da Estrela da Morte, o copo enorme de Coca-Cola e o cinema cheio. Olho para o lado e, da fila da bomboniere, observo Minha Mãe de pé, com sua roupa de sair, seu cabelo liso com luzes, seu tênis branco e a ansiedade para experimentar pela primeira vez em sua vida a pipoca de cinema. Na minha deficiência de empatia, eu só pensava no quanto tinha gastado até ali e que ela, enquanto mãe, é que deveria fazer aquilo tudo por mim. Hoje que ela está morta, tenho condições de entender que nasci para ensinar Minha Mãe a dar à luz. Assistimos *Moana*.

Pouco antes de morrer, ela conseguiu me ver fascinada por uma princesa. "Teimosa e orgulhosa, tão igual a seu pai." Eu via o filme entre lágrimas e soluços pensando que estarmos nós duas ali era quase uma piada. Olhava para o lado e via, decepcionada, que ela dormia. Como fazia em casa, no ônibus ou em qualquer lugar em que estivéssemos juntas. Ela dormia e apoiava sua cabeça no meu ombro. Não consigo explicar o quanto aquilo me ofendia e feria. Ouvia o som do oceano ecoar no cinema.

A morte da mãe veio muito cedo para mim. Num momento, éramos apenas ela e eu morando na avenida Maracaju e comendo pipoca doce com groselha, esperando o ônibus para irmos aonde ele fosse. Nós andávamos de noite pelas calçadas e ela me levava sempre na mesma pizzaria, na mesma mesa. Toalha verde. Tínhamos quintal na nossa casa e eu parecia estar sempre com a mesma calcinha azul. Atrás da bananeira, tomando banho de balde no tanque ou brincando com as bonecas na sala. Eu devia ter desconfiado da mazela quando ela deixou de olhar para mim. Tornei-me indesejável, um problema a ser resolvido. Fala demais, chora demais, pergunta demais, come demais, mente demais, é demais. "Olha ali aquela menina magra. Qualquer trapo fica bonito nela."

O som do oceano ficava cada vez mais dentro. Toquei a mão envelhecida da Minha Mãe e pensei no quanto foi difícil. Ser Minha Mãe. Parir alguém como eu, íntima da insanidade. Que negou tudo aquilo que constituía sua vida. Suas escolhas, seu marido, seu compromisso em engravidar, seus gritos nos jogos do Brasil, sua escolha pela permanência, por cômodas e catecismo. Parir uma criança teimosa, uma adolescente arrogante, uma adulta pródiga. Parir alguém que te repele e é repelida por você. Naquela sala de cinema, envolvidas pelo som do oceano, percebi que a zona abissal da Minha Mãe era eu e ela estava certa em questionar minha insanidade desde cedo. Talvez, o que a tenha surpreendido é que executei o trabalho com eficiência. *Toda família tem uma louca. Essa é minha função.*

Aos seis, eu já lhe era a estranha. Acho que foi pouco depois dessa época que comecei a gostar de filmes de terror. Vampiros, para ser mais exata. Eles são péssimos, mas todos amam vampiros. *Você é tipo o vampiro da sua mãe.* Então, quando a mãe adoeceu e sua morte se tornou um fato, os dias seguintes foram de ressurreição. Era como se a discussão e o afastamento jamais tivessem acontecido. A morte nos permitiu falar o mesmo idioma e, por alguns momentos, pudemos conversar. Minha Mãe mentia. Eu também. *Calma, mãe, já vou te levar pra casa.*

Ela se debatia enquanto enfermeiros tentavam conter seu desespero. Não lembro quem de nós estava com ela, mas entrei com a urgência e a vontade de arrancar os fios de seu braço e correr com ela pelos corredores do hospital até chegar em casa. Na casa dela, entre todos os cachorros, plantas e jogos de toalhas e lençóis que ela comprava compulsivamente. Entrei e a vi se debatendo, na última vez em que ela me olhou nos olhos, me pediu para levá-la para casa. Eu disse que sim. Menti. Eu a levei para ser enterrada ao lado dos pais. Toquei na veste dura e quente do hospital, que permaneceu entre minha mão esquerda e o centro do seu peito, e a posicionei de volta na cama. Ela bufou. Ela sabia. "Minha Filha mente." Hoje, tanto quanto antes, nossa relação é pautada pela ausência.

8.

Seis meses desde a morte da Minha Mãe e eu entendia. Racionalmente, entendia. Fazia minhas próprias suposições, dava voz e forma aos meus ressentimentos. Ela não era apenas a Minha Mãe, era uma pessoa que, por escolha, era mãe de outras pessoas, sendo eu uma delas. Enquanto ela estava viva, do jeito que podia, eu sabia o que ela queria de mim. O que eu nunca soube muito bem era o que eu queria para mim. Sempre considerei que eu não cabia nos desejos da Minha Mãe, mas nunca tinha compreendido até aquele momento no cinema.

Aprendi a cozinhar, lavar, passar, casei, levei um marido nos almoços e jantares de família e engravidei para ter a certeza de que amaria alguém. Eu precisava amar alguém. Mas também estudei, viajei, existi. Gorda. Gorda e tatuada. Gorda, tatuada e consciente. Tomei posse do meu corpo. Fiz da minha pele meu mapa, tracei fronteiras, homenagens, memória, erros, rumores. Marquei territórios e deixei à vista de quem tivesse olhos. Mas era meu mapa, meu guia, minha garantia de que nós três existimos. Talvez todos esses desenhos sejam apenas uma somatização da minha solidão, uma fantasia. Mulheres que inventei só para mim.

Nós somos muito parecidas. Minha Mãe, Minha Filha e Eu. Principalmente na competência com que escondemos nossas angústias. Tão parecidas que só choramos escondidas, e quando permitimos que nossas lágrimas sejam vistas elas são explicadas como 'nada'. Minha Filha e eu herdamos a posição do mal-estar. Minha Mãe tinha essa posição para sentir o mal-estar no mundo. Ela se deitava, ou no sofá ou na cama, e sempre deixava os pés para fora. Pendurados. Encostava a cabeça na almofada, colocava as costas da mão sobre a testa e respirava. Longos minutos de silêncio, o olhar perdido, alguns leves movimentos dos lábios. Raramente os pés balançavam.

Tinha algo ali que eu queria muito ver e era pouco o que ela pudesse me contar. Queria sentar na orla do seu pensamento e assistir àquelas cenas com todos os defeitos de memória. Ouvir as vozes que ela ouvia e, se possível, ser tocada pela espuma dos sentimentos. Tudo o que consegui foi um vislumbre da mãe naqueles momentos e, talvez por isso, não apenas tenha perdido o desejo de olhar, como ainda criei uma aversão à nossa imagem e semelhança.

Sei exatamente o dia em que decidi não ser como ela. Mas, dia a dia, me torno cada vez mais parecida com ela. Claro que há algumas diferenças. Meus pés não ficam pendurados. Quando decido sentir, deito na mesma posição. É automático. Cruzo as pernas e as costas da minha mão esquerda caem sobre minha testa. Lembro do dia em que fiquei descalça em sua casa e todos comentaram quanto nossos pés eram iguais. O mesmo formato dos dedos, a joanete proeminente e nossa preferência por tênis brancos. Talvez o momento mais assustador tenha sido no velório do meu avô. Viemos de cidades diferentes, em horários diferentes, e vestidas com a mesma roupa. Calça preta, blusa listrada branca e preta e tênis. Brancos. O mesmo corte de cabelo. Expira. Inspira. Sinto raiva do ventilador. Minha Mãe quase não chorava.

Foi o barulho do ventilador que me fez pensar nisso. Eu o amava com a mesma intensidade com que Minha Filha o ama agora. O vento, o barulho e até mesmo o formato. Eu o amava e não entendia como Minha Mãe podia odiá-lo tanto. Brigávamos por isso. Não entendia como ela escolhia o suor. Sabe, depois de um tempo, o barulho machuca. Alguns mais do que outros. Quando as vozes se tornam altas demais; quando a colher bate no copo; quando o cachorro late; quando alguém diz a palavra mãe ou quando chamam teu nome. A violência vibra em muitas notas. O preço do silêncio é o suor.

9.

A primeira coisa que fiz quando o silêncio sobre a morte da Minha Mãe se tornou impossível foi me inscrever num retiro de silêncio. Era uma quarta-feira e estava insuportável. Calor, pessoas falando alto e falando sobre outras pessoas vivas e mortas que não eram ela. O banheiro estava ocupado e eu não tinha aonde ir para chorar. Também não podia pedir gentilmente que as pessoas falassem baixo ou gritar para que calassem a boca. O ar condicionado estava alto e mesmo assim havia suor na minha calça jeans. Já sabia desse lugar onde podemos ir para não ouvir, não falar. Não foi planejado ou desejado. Foi um ato desesperado.

Existe esse período do luto em que o corpo já foi enterrado, abraços dados, conselhos ditos, burocracia vencida, roupas doadas, móveis e objetos divididos e todos informados. *Ela morreu.* É quando o luto toma conta de tudo. Como mofo. Até então, o luto tem um caráter público e aceitável. As pessoas ainda se lembram e há uma certa tolerância. Despedida, enterro, missa e, então, depois de um tempo, chegam outros assuntos e urgências. A morte é abatida à queima-roupa. "Melhore." Foi quando comecei a pensar na inutilidade da expressão "eu sinto muito" que ouvimos tanto. A morte pode ser coletiva, mas o luto é íntimo. *O que você sente quando diz a alguém que sente muito?* "Nossa, não gosto nem de pensar que poderia ser a minha mãe, credo." Creio.

Quando a lista de afazeres da vida após a morte é quitada, há o vazio. Esse é o dia seguinte da perda. O vazio. Lembro-me de abrir os olhos e estar no fundo do oceano, muito fundo. De longe, era possível ver que meu corpo gordo era do tamanho da insignificância. *Ela morreu.* Foi quando as encontrei. Ou fui encontrada. Existem coisas que transformam seu mundo de tal forma que é preciso fechar-se entre aquelas que passaram pelas mesmas experiências. Eu já conversava com filhas sem teto como eu e, ainda hoje, só consigo falar honestamente sobre a morte da Minha Mãe com mulheres que também perderam suas mães. Não há nada equivalente a isso. Da mesma forma que não há nada equivalente a parir.

Ver sua primeira casa morrer e ser a primeira casa de alguém são experiências muito específicas. Ambas envolvem a morte de alguma coisa dentro e há uma linha tênue que separa o desconhecido que conhecemos quando parimos uma menina e quando enterramos uma mãe. Antes de sepultar a mãe, eu achava que toda morte é falecimento, na mesma medida em que antes de ser mãe, achava que todo parto é nascimento. Não é. Ficar sem mãe é ficar sem fronteira, terra, parede, teto. Pele. Parir é criar fronteira, terra, parede, teto. Pele. O luto, em ambos os casos, está lá. Concreto e ignorado.

Nós, mulheres que enterramos nossas mães e parimos nossas filhas, resistimos à dor, à ausência, às cobranças para voltar a sorrir, sair de casa, usar salto e seguir adiante, de acordo com o que cada pessoa entende como adiante. Em alguns dias era palpável a pressa das pessoas ao meu redor para que eu ficasse bem, não tocasse no 'assunto' ou existisse de um jeito leve. Diferentes formas de pedir que eu desse as costas ao meu luto para deixá-las confortáveis. Quando as pessoas já não disfarçavam que a curiosidade sobre a morte da Minha Mãe e a paciência com meu luto tinham acabado, eu escrevia e-mails para ela. Conversas que jamais teriam respostas. Assuntos inacabados. Dúvidas. Silêncio.

eu me sinto tão, mas tão sozinha. ela morreu no domingo. isso é o que a memória diz. o atestado de óbito fala de terça-feira, pouco antes das onze horas da manhã. acho que domingo ela entrou em coma induzido e irreversível. eu não lembro e não quero esquecer. a morte tem uma coisa estranha que é a sua reafirmação constante. primeiro, ela acontece na aceitação de quem morre; depois, quando é compartilhada com a única amiga que ela escolheu para anunciar seu fim; "acho que não saio mais dessa cama de hospital"; depois vem entre choros de dor e pedidos de clemência. aí a morte é escada de apelos, resoluções, revelações e despedidas tímidas. aceitei a humanidade da minha mãe e baixei os olhos com a certeza de que uma das minhas mães já tinha morrido. a tristeza tem sido leal, assim como a decepção com as pessoas que insistem que preciso sorrir, superar, viajar, viver, namorar ou fazer qualquer outra coisa que não seja lidar com o desmoronamento da minha primeira casa.

quero saber o que fazer. preciso parar de fingir que sei como responder a tantas perguntas sobre você e sua morte ou sorrir calmamente diante de uma ofensa disfarçada de elogio sobre meu corpo. é exaustivo parecer segura e descansada quando sigo controlando pequenas crises de ansiedade a cada hora. lutar para dormir sem estar ansiosa pelo dia seguinte. a morte da mãe colocou meu coração e minha respiração em suspenso. de repente, sinto o ar entrar e o coração dar um pulo como um ato de rebeldia ou algo do tipo. eu me lembro que estou viva e você não. o que eu te devo? o que eu devia ter feito? quando vou entender que não há nada que possa ser feito porque sou ninguém e essa é minha maior virtude. eu poderia andar alguns passos atrás e assistir a tudo e todos vivendo a vida. sorrindo, gargalhando, chorando e sendo felizes. sinto calor e penso em trocar o chuveiro do banheiro. você diria que estou rasgando dinheiro e voltaria para sua novela.

10.

Era uma constante. Tirava os óculos, desligava o ventilador que evitei arrumar por meses – e evitaria por tantos outros –, colocava alguma música ou podcast, derrubava a mão sobre a testa e esperava dormir. Não conseguia. Então saía do quarto, escrevia e andava pelos cômodos fazendo uns movimentos que eu acreditava ser arrumação. Em alguns momentos, queria entrar no quarto da Minha Filha e organizar tudo. Foi quando conheci essa força, essa sensação que autorizou Minha Mãe a entrar no meu quarto e mexer nas minhas coisas, em mim, como se eu – Filha – não soubesse, pudesse ou conseguisse domar meu próprio mundo. Aceito e me forço a seguir para o lado oposto.

Quando consigo frear meu impulso de colonizar Minha Filha sei que estou bem. Mas a vontade de invadir continua, como se fosse meu dever organizar seu mundo, servir o que ela precisa, anular sujidades e inseguranças e fazer dela e do seu espaço o reflexo de mim. Sei que sou digna da maternidade quando não é feita a minha vontade. Minha Mãe, Minha Avó, a bisavó da Minha Avó e Eu. Mulheres que foram colonizadas e acreditaram que era seu dever constituir a ordem sepultando suas identidades, sepultando as identidades de suas filhas e sendo, no gerúndio, imperceptíveis. Fazer diferente é acolher a mim e à Minha Criança que cresceu calada, reclusa e privada de vínculos ou afetos.

Seria simplório dizer que a morte da Minha Mãe reforçou a consciência de que vou morrer e tornou urgente que eu buscasse pela certeza de que nasci, estou autorizada a existir e tenho o direito de ser apenas quem sou. Minha Mãe Morreu alheia às minhas dores tanto quanto sigo alheia às dela.

Estava cansada, exausta de ouvir frases como "eu entendo" ou "vai passar" ou "você vai melhorar". Vou te contar uma coisa. Se sua mãe está viva, você não sabe como é, não entende e nem imagina. Parece cruel, mas é um fato. Não tente argumentar. Não há nada que você possa me dizer. É um fato duro, sólido. Falar essas coisas é assumir que não importa o quanto as pessoas gostem de mim, o quanto me queiram bem ou se preocupem comigo. No luto, o sentimento do outro é nulo, inútil até. O amor, o cuidado, o afeto. Inúteis. Vazios. Ofensivos.

    Quando se chega nesse lugar, quando a mãe é morta, não importa se ele ou ela nunca mais vai amar alguém como ama você; se você é a amiga mais inteligente ou culta ou especial de alguém ou se você é realmente incrível no seu trabalho. Sua mãe continua morta apesar das suas virtudes. Não interessa o tamanho da dor e o empenho das pessoas em colocar um curativo duvidoso num ferimento solenemente ignorado. A mãe segue morta e é preciso seguir e ser casa para outra pessoa. Para que um dia, ela perceba que o amor, o cuidado e o afeto podem ser inúteis, vazios e ofensivos, mesmo que necessários. A casa não existe mais e sequer há uma via de acesso aos escombros, que seguem mudos, enterrados e enclausurados numa caixa de madeira cara.

    Meses e meses depois, a dor não passou e não melhorei. Nem como pessoa. O assombro persiste. Rasura. Às vezes acontece essa coisa em qualquer lugar e em qualquer momento. A consciência é tomada pela realidade absoluta de que a Minha Mãe é morta.

11.

A Lula Vampiro do Inferno – *Vampyroteuthis infernalis* ou *V. Infernalis* para os íntimos –, é o infamiliar dos cefalópodes. Ela, que mede entre quinze e trinta centímetros, não é uma lula ou uma vampira e tampouco vive no inferno. Ela vive entre quatrocentos e mil metros de profundidade no oceano, numa área conhecida como zona mínima de oxigênio ou zona de sombra. O luto é como uma Lula Vampiro do Inferno. É o infamiliar das emoções. Um coletivo de sentidos resumido numa palavra que segue coberta de vergonha, rejeição e silêncio. Assim como a Lula Vampiro do Inferno, o luto existe e sobrevive e se adapta independente das pessoas. Esse infamiliar segue sobrevivendo desde os mais remotos tempos, adaptando-se ao que lhe é apresentado. Como A célula da Minha Mãe, a Lula Vampiro do Inferno é a minha narrativa de controle, a senciência do meu luto.

Pouco importa de onde vem seu nome e há um constrangimento enorme na tentativa de descrever tudo que foge à rotina. Selecionar substantivos e adjetivos para descrever a Lula Vampiro do Inferno é uma forma de matar o que a torna tão íntima do luto. Mas é assim que sinto a existência do luto em mim. Na personificação de algo desconhecido; repelido pelo nome; adaptável e complexo. O luto é um animal com sistema nervoso grande e complexo. Desde que a Minha Mãe Morreu sinto que estou à deriva. Há pouco oxigênio em mim quando me lembro dela e, apesar das condições inóspitas, há vida.

Não foi o luto que me aproximou dos cefalópodes, mas foi ele me fez compreender. De algum jeito, a relação com Minha Mãe sempre me manteve expatriada do meu corpo e desincorporada do mundo. Era como se eu fosse apenas cabeça e cérebro. Penso e ando. Raciocino e corro. Escolho e tropeço.

Ter campos visuais distintos, grande capacidade de processamento interno e a aptidão de ficar invisível aos observadores foram coisas que desenvolvi por necessidade e desejo. Coisas que a Lula Vampiro do Inferno e o luto têm naturalmente. Coisas que herdamos do mar, apesar da evolução. Apesar da terra. Batida. De dentro do dentro do meu peito, de alguma das cavidades do meu coração, a Lula Vampiro do Inferno estica suas membranas, cresce seus tentáculos, mistura seu vermelho com o vermelho do meu sangue; brilha como faróis de caminhão na madrugada e solta seus flagelos. Não é violento ou bruto. É uma dança sincronizada com o silêncio que sustenta meu batimento cardíaco. As memórias começam a descer do cérebro como chuva de granizo. Pedaços de risos, histórias, conselhos, brigas, escárnios, decepções, lágrimas, gestos e frases. Durante a queda, esses granizos de lembranças são lapidados pela saudade até que se tornem pequenos flocos de memórias, colhidos por um filamento que, segundos antes, a Lula Vampiro do Inferno expôs para garantir seu alimento. Assim que ela pega toda essa neve marinha, recolhe o filamento e se fecha. Satisfeita.

Não é um processo violento, mas envolve dor. Cada memória acessada é uma placa tectônica que se movimenta e muda o sentido das águas. Quando isso acontece, aceito o choque. Minha Mãe Morreu. Mas não há como falar disso sem chamar atenção para a minha pele vermelha brilhante, para a membrana que liga meus membros e os espinhos que ocupam os espaços onde estariam as ventosas. Aceito que minha cabeça e minhas pernas sigam apesar do silenciamento e fecho os olhos sabendo que os faróis do caminhão estão cada vez mais próximos. Não grito. Não choro. Não reajo. Nem mesmo quando meu coração para, o nível de oxigênio cai e tudo se torna silencioso como o fundo do fundo do mar. Foram essas escaras que levei comigo ao retiro de silêncio.

12.

Joguei minha mochila no chão com a mesma força com que joguei meu corpo na cadeira e esperei que me dissessem o que fazer. Era uma casinha com estrutura de madeira verde e paredes de vidro. Fiz o check-in em voz alta, confirmei os dez dias ali e desejei que aquelas palavras fossem as últimas. Mirei num claustro e acertei numa comunidade. A casinha é a recepção de uma sociedade instalada num conjunto de prédios onde estavam as salas de meditação, biblioteca, cozinha, centro de convivência, salas de aula, quartos com banheiros privados ou coletivos, sala da mandala (sim), labirinto (sim) e um banheiro com paredes e chão de vidro no meio da mata (sim também). Tudo isso ficava acima da recepção. Abaixo, depois de atravessar a rua de terra, uma ladeira íngreme em direção à horta e uma represa de água doce. No outro extremo da água, tão longe que parecia miniatura, havia uma mansão com vários carros de luxo estacionados na grama. Olho em volta e há milhares de folhagens e flores e árvores. Bateu em mim a dúvida honesta de quantas páginas Tolkien precisaria para descrever aquilo tudo.

13.

Não sabia o que viria depois de chegar, mas conhecia muito bem o que veio antes e esperava me distanciar disso. Minha primeira decisão foi não falar ou ouvir sobre luto enquanto estivesse ali. Fora isso, eu não tinha muitos assuntos mesmo e sequer espaço para eles. Talvez seja esse o maior problema. Não existem muitas formas de explicar o luto, mas existem milhares de maneiras de dizer o que não é. Achar que quando outras pessoas sentem algo que nos foge à compreensão é preciso encontrar metáforas, analogias, experiências, como se isso fosse um ingresso, uma autorização ou uma ponte para organizar o incômodo que o sentimento do outro nos causa. Por isso gosto tanto dessa história de como Freud criou a psicanálise. No fim do dia, ele mostra que não é pessoal. A impossibilidade de escutar é só uma característica da nossa condição humana. *Você se escuta?*

Tem essas vozes que acordam, vivem e dormem comigo todos os dias. Ouço cada uma delas na minha cabeça me dizendo que não posso fazer isso ou aquilo, vozes que são minhas e que insistem em demarcar as fronteiras secas de quem eu sou. Eu escuto demais essas vozes. Quando minha voz ecoa, eu escuto esse coral me dizendo que é o som de uma criança falando coisas que a façam parecer adulta, que façam as pessoas irem além do corpo gordo, das tatuagens, do cabelo corrido e cheguem na pessoa que sabe o que fala. Ao menos sobre aquilo e naquele momento. Escutar exige curadoria. Fiz da minha cabeça um amplo salão com gritos e sussurros e risadas e choros e ecos e agora estava condenada a gastar muita energia para lidar com isso. Não era e nunca foi meu corpo o motivo de eu estar em risco.

    O quarto era como uma cela. Duas prateleiras ao lado da janela onde estavam um travesseiro e uma coberta; uma mesa de madeira escura com um copo de vidro vazio; uma cadeira e um tapete. Encostada na parede de tijolinhos à vista, uma cama de solteiro. Poderia dizer que tão estreita quanto aquela em que perdi a virgindade, mas a verdade é que tinha sido no chão. Nas duas vezes. Não tinha ventilador. Coloquei a roupa de cama e fui tomar banho no banheiro comunitário. O corredor. Era como o corredor do hospital. Comprido, cheio de portas fechadas e escuro. Silencioso, mas não melancólico. Só silencioso. No final, um filtro com água. Tomei banho já em silêncio e olhando para a Mata Atlântica. Até a apresentação formal dos outros participantes, não vi ninguém, não falei com ninguém e não dormi. Só fiquei sentada na cama. Ombros caídos. Oficialmente, o silêncio começaria às 20 horas e duraria os próximos dias.

    O meu aniversário já havia passado. 40 anos. Assim como no Natal e no Ano Novo, tive imensas crises de ansiedade e desespero por não saber o que fazer. Quando a Minha Mãe era viva, ela comemorava demais. Com o tempo, menos. Mas ainda era demais. Eu gastava muita energia fugindo dessas datas. Não ter que gastar essa energia me desarranjou. Fui para a cidade onde nós duas nascemos e ela, sepultada. Fiquei com Minha Família para procurar por ela, por mim e por Minha Filha. Fui acolhida e cuidada e amada. Abracei a fragilidade e assumi que estava quebrada e não sabia por onde começar a pegar os cacos.

Deixei que Minha Amiga, a mesma que me acolheu logo depois do enterro da Minha Mãe, me levasse a uma reunião do Grupo de Apoio às Pessoas Enlutadas. Foi entre o Natal e o Ano Novo, num sábado de manhã. Assisti a uma palestra sobre o momento em que perdemos alguém. Eu chorava muito e não tentava disfarçar. Ver a mãe morrer foi estranho. Mesmo que ela estivesse em coma e seu coração ultra-acelerado, ela estava ali. Meu Irmão havia me avisado que o último suspiro pode ser alto, forte e assustador. Em meio à tanta dor, Meu Irmão lembrou quem eu era e me acalmou para que eu não sofresse com a natureza do corpo. Mas quando a mãe morreu, houve apenas silêncio. O quarto estava cheio e nós dois apenas nos olhamos. Talvez a mãe tenha ouvido ele cuidar de mim e tenha me poupado do susto e do medo. No fim, ela foi Minha Mãe.

Uma mulher que acompanhava a palestra sempre olhava para trás e nossos olhos se cruzavam. Nos dela, afeto. Nos meus, lágrimas. Ao fim, ela se levantou e pediu para me abraçar. Odeio ser abraçada. Deitei minha cabeça no ombro dela e descansei por alguns segundos enquanto seus braços trabalhavam na contenção do meu cansaço. Ela se afastou contra minha vontade, limpou minhas lágrimas e nunca mais a vi. Ainda gosto muito dela. Isso foi no antes. No antes de escolher uma cadeira entre tantas as outras que formava um círculo. Foi no antes de olhar para aquelas pessoas e saber quem elas eram sem saber seus nomes, mas os nomes dos seus ausentes. No centro, uma mesa redonda com uma jarra de vidro cheia de água, copos descartáveis, flores, lenços de papel e balas produzidas na firma onde trabalho.

Ao fim da reunião, ao contrário das pessoas, a mesa já não estava tão organizada. É uma sala cheia de feridas e curativos. Pessoas que sabem que a morte envolve escolher se a madeira do caixão é clara ou escura, a angústia de saber se a alça suporta toda dor, o motivo real das flores ou quão sem gosto é o pão de queijo de uma funerária. Todas aquelas pessoas me escutaram e escutei cada uma delas. Ninguém mentiu ou amenizou. Juntos suportamos o peso da perda, da ausência imutável, do antes e da permanência do luto.

Um dia antes da reunião, fui na cachoeira com meus primos e, como não fazia há anos, tomei banho na água gelada debaixo da mata fechada. A estrada de terra, a poeira entrando pela janela do carro e o campão ao lado. Coisas que eram ordinárias por serem tão presentes. No antes. Antes da mãe morrer, antes da filha nascer, antes do avô e da avó morrerem, antes da solidão, antes do casamento, antes do medo de ser como ela, antes de ser só. Talvez antes mesmo das tatuagens. Quando havia desejo e impulso. Quando aquela paisagem era de cura da ressaca, diversão ou identidade. Agora é só nostalgia.

Havia pessoas. Muitas. Mas nenhuma delas se importava conosco e a única que falou comigo foi para dividir sua brisa. Não quis. Tinha a minha. Levantei as sobrancelhas como agradecimento honesto. Sentir o peso da subida, o cansaço do íngreme e a falta de paciência com a chegada. Tal como era antes. O arrependimento da irresponsabilidade. O melhor de todos. Depois desse dia, meu celular nunca mais recebeu ou fez ligações. Estava sentada no chão e ele caiu do meu colo. Uma queda curta e objetiva. Nunca mais gravou minha voz ou me deixou ouvir outras. Era como um sarcófago das minhas fotos, músicas e textos. Do antes. Como eu.

Nesse dia, estava ansiosa pelo claustro. Tinha prometido que não ia falar dele para ninguém e falhei. Miseravelmente. Contei para todos e as reações iam do escárnio à incredulidade. A negativa do silêncio é sempre a negativa de si mesmo. Agora que eu estava ali, era como se o antes não tivesse existido. Tudo o que era estava ali. As plantas, as casas, os pães, os lagartos, as mesas cheias, a horta, a sala de meditação, as bromélias, o labirinto, os chás, os zafus, o suor, os banhos e o silêncio. Muita gente me pergunta o que se faz num retiro de silêncio, como se fosse um coma. Na verdade, a única coisa que não fazemos é falar.

14.

Fiz muitas limpezas. Um lugar por dia. Fui para a horta e faxinei os canteiros de hortelã e menta. Só precisava me concentrar em tirar o mato para garantir que elas recebessem o sol necessário. Faxinei a biblioteca e limpei cada livro com o mesmo respeito com que limpo os meus. Talvez mais. Não sabia quando tornaria a vê-los e queria que tivessem uma boa memória de mim. Ironicamente, na biblioteca havia um ventilador. Mas ele não cobria toda a área e, para ser honesta, senti falta do suor. Também faxinei a sala de meditação, limpei janelas, lavei banheiros, louças, pias, minhas roupas e o chão.

Tudo me parecia simples porque eu estava livre da coisa que me mais me pesava: falar. Se eu trombasse em alguém, não tinha que dizer "me desculpe" para que meu sentimento fosse real. Eu realmente sentia e isso era o suficiente. Sentir. Se não sentisse, era honesto também. Não precisava verbalizar bons dias, boas tardes ou boas noites automáticos. Só sentia e isso era suficiente. Dormi todos os dias, alguns sem remédios. Sem sonhos ou pesadelos. Dormi e descansei. Não tomei café e não comi carne. Não me preocupei com dinheiro e nem tive crises de ansiedade. Eu só estava ali. Não precisava dizer meu nome, idade, profissão, nacionalidade, preferências, experiências ou o que desejava para mim nos próximos cinco anos. Não tinha antes ou depois, só tinha o agora. Eu tinha toda liberdade para viver meu mundo interno sem vergonha ou medo de ser julgada por isso. Pelo contrário, era como se o mundo interno fosse o único que realmente importasse. Depois de três dias, eu sabia o que uma pessoa queria apenas de olhar para ela, e sentia quando alguém se aproximava de mim. Não era algo paranormal. Longe disso. Muito longe disso. Eu só estava lá.

Teve esse dia em que nos colocaram para dançar. Era de tarde e estava quente. Eu usava um vestido preto de alcinha e estava descalça. O cabelo, ainda comprido e sem corte, permanecia sempre amarrado num coque bagunçado. O silêncio foi quebrado pelas instruções. Formar duplas e dançar juntos. Sem falar, combinar ou orientar. *Mas o que é isso, sabe? Como eu fui parar aqui? Silêncio pra mim também incluía imobilidade.* Muita coisa acontece quando você se permite olhar nos olhos de alguém e deixar que a pessoa faça o mesmo. Aqui preciso confessar que não acredito nessa coisa de encontro de almas, troca de confidências pelo olhar ou coisa que o valha. A melhor e pior coisa da vida é que o universo é indiferente.

A sala estava cheia de pessoas suadas e silenciosas. Mesmo abertas, as janelas enormes não ajudavam a amenizar o calor. Não havia vento. Dentro. Lá fora as folhas balançavam, mas era como se uma película impedisse o vento de entrar e nos ajudar. Estávamos à mercê da indiferença. *Quando não estamos?* Parei e corri os olhos pela sala. *Quem eram aquelas pessoas? Será que elas conseguiam perceber o quanto eu não queria ser vista?* Um corpo gordo que dança é muito mais que um corpo que dança. Existe muito trabalho para que cada movimento de um corpo gordo seja orgânico. Um corpo que luta pelo status de normalidade e validade pode ser visto apenas como corpo? Como quase sempre, eu era a única gorda da sala.

15.

Há muito silêncio envolvendo a palavra gorda. Você conseguiria dizer em voz alta e não sentir vergonha, medo ou reprovação? Consegue dizer GORDA GORDA GORDA e saber que é só uma palavra e não algo tão vergonhoso que você deseje mudar em si ou em alguém a ponto de causar dores físicas e emocionais para que essa pessoa ou você – GORDA – diminua até não mais existir? Você realmente consegue? Consegue dizer GORDA e não gordinha, fofinha, cheinha ou outro eufemismo? Consegue entender que GORDA não é o mesmo que ter uma dobrinha ou braços roliços ou coxas grossas? Que ser GORDA é muito mais que ser estrangeira entre as pessoas, mas não ser pessoa ou, no máximo, uma pessoa doente? Você entende isso? Entende que o silêncio que antecede a palavra GORDA é cheio de significados e ausências que não podem ser disfarçados com uma blusa larguinha ou manga comprida ou calças escuras?

GORDA. A última imagem que Minha Mãe teve de mim. Sua única filha mulher GORDA. Talvez um pouco menos do que sou hoje. Nunca soube se ela era obcecada pelo meu emagrecimento porque me queria nos padrões sociais ou me queria pequena e portátil e contida e demonstrável. É difícil testemunhar o crescimento de sua filha e admitir que, depois de um determinado momento, tudo o que a maternidade te oferece é um posto de observação. Meu corpo, meu corpo gordo, desafiava Minha Mãe duas vezes. Não bastava não ser dela, eu era demasiadamente minha. Mas era ali que eu estava agora. Naquela sala, cercada por todas aquelas pessoas magras sorrindo e trocando olhares para algo que lhes devia ser tão corriqueiro. Escolher. Mas não quero falar sobre isso. Exclusão não é sobre autoestima. Não é sobre como me sinto ou me vejo. Não é raso, pessoal ou íntimo. Essa trincheira é coletiva.

Dancei, apesar de. Como posso contar sem que pareça ridículo ou romântico ou frio? Não foi nada disso, mas foi um pouco disso tudo. Olhei naqueles olhos pretos e quase sorri. Tocamos as mãos e iniciamos passos tortos, alguns pisões e ligeiras perdas de equilíbrio. Você conhece a sensação. Há tempos eu não era tocada por outra pessoa e me assustei quando senti suas mãos descendo por meus braços, como se fosse uma passagem a ser aberta. As unhas curtas ondulando na minha pele. Silêncio. Desceu até minha mão, segurou e, num único movimento, me encaixou num abraço. Quase risos. Taquicardia. Mas minha companhia percebeu, talvez até antes de mim, que as paredes e janelas enormes desapareceram e por um breve momento fizemos escala no quarto que eu habitava aos doze anos.

Apesar do meu par, eu dançava sozinha. Era observada não com desejo ou afeto, mas como se eu existisse de fato. Naquele espaço que cabia apenas uma cômoda (a mãe nos obrigava a ter cômodas), um guarda-roupa de duas portas e uma cama de solteiro, eu me emocionava com as pequenezas que conseguia imaginar. Tudo ali era comprado nas lojas de móveis usados de que a mãe tanto gostava. Ali era meu país. Mal conseguia abrir os braços sem tocar em alguma coisa, mas quando eu amarrava a colcha da cama na cintura era como se eu estivesse num enorme salão gótico. Com meu vestido preto, meus cabelos longos e cacheados e a música alta. Algumas coisas da mãe se perderam com o tempo, muito antes da morte, e essas ausências causam alguma dor. O caderno de receitas. Não cozinharia nada dali, mas sempre admirei a letra dela. Os vinis das coleções Grandes Óperas e Clássicos MPB. Essa era toda música que tinha em casa. Por fim, o tênis branco. Enquanto minhas amigas corriam de casa e liam sobre meninos e dietas na Capricho, eu corria para casa e desejava que, ao estender minha mão, alguém a tocasse e nós pudéssemos dançar. Não ali, mas lá. Onde eu era possível.

Ironicamente eu não me importava com ninguém, fosse da minha escola, da minha rua, Darcy ou Elizabeth. Todas as pessoas que desejei existiam só dentro de mim. Por mais que desejasse alguém, eu era melhor sozinha. Talvez por isso, eu dançava já sem saber onde tinha deixado meu par. *E se fosse isso? E se eu fosse alguém gerada pra dançar sozinha?* A sala estava cheia, mas eu não estava lá. Estava em outro lugar, com outras luzes, ventos e roupas. Eu estava ali. Livre. Viva. Dançando sozinha com meu vestido preto na frente de tantos estranhos, eu descobri.

Estou viva.

16.

Cheguei correndo na represa depois de levar dois ou três tombos na descida íngreme e escorregar na lama da margem. Assim que a água cobriu minhas coxas, deitei de costas e deixei que meus ouvidos afundassem para que eles não tivessem que lidar com nada além dos meus gritos e da água. Gritei até a garganta doer, chorei até as lágrimas salgarem a água doce e fiquei boiando até que os filamentos da Lula Vampiro do Inferno saíssem pelos poros e pudessem carregar alimento corpo adentro. Eu não sabia que estava viva quando estava naquele quarto ou naquela sala, aos 12 ou aos 40. O que eu sabia é que tinha poucos segundos antes dos ruídos do vinil virarem música para trancar a porta, fechar as janelas e me arrumar naquele pequeno pedaço vazio.

Eu tinha muito medo de ser vista. Daquele ou de qualquer outro jeito. Quando eu só era eu noutro tempo e noutro lugar. Não tinha a mãe e sua família, a escola, as dietas, as piadas, a solidão, as dúvidas. Só música e movimentos, como se eu fosse leve. Leve como na água. Sem gravidade, som ou peso. Às vezes quando dançava, eu olhava para minha mão que passava rente aos meus olhos e não via dedos gordos ou desajeitados ou unhas roídas. Enxergava normalidade. Quando eu podia apenas existir e virar meu corpo e sentir minha saia preta com rendas negras e meu cabelo acompanharem o movimento, era ali que eu existia. Como agora. Levantei minha mão esquerda e olhei para a ponta enrugada dos meus dedos enquanto os movimentava lentamente. *Eu existo. Eu estou viva.*

Naquela redoma azul de céu e água, fui empossada em mim. *Reconheço minha existência e compreendo que estou viva.* O vento já não balançava as árvores e nem o céu era tão azul quando resolvi voltar. Foi uma subida íngreme, mas o ar entrava no pulmão. Cheguei na comunidade na hora da terceira e última meditação do dia, logo antes do jantar. Entrei na sala deixando rastros de gotas de água. Imaginei se para os outros aquilo era desrespeito. Fugir e voltar horas depois. A verdade é que só penso nisso agora.

Sentei sobre minhas pernas e não meditei ou rezei ou pedi perdão. Repassei cada um dos lutos que me trouxeram até ali como dores que existiam em mim. O luto é. Em maior ou menor grau, ele é. Desfiei do luto mais insignificante até o definitivo por Minha Mãe. Contei quantas alças tinha o caixão; quantos minutos olhei para ela esperando reciprocidade; quanto tempo fui infeliz em silêncio; quantos livros comprei para que alguém respondesse meus e-mails e me desse a chance de conversar; quantas vezes esperei ser amada fora da internet; quantas respostas meus textos receberam; quantos provocaram sorrisos ou lágrimas; quantos editores me negaram espaço sem que eu nunca tenha pedido; quantas vezes desejei viver sem estar morta.

Minha cabeça estava cheia de negativas, perdas, dores, derrotas, vazios. Implorei por silêncio. Implorei para que todas aquelas vozes na minha cabeça se calassem, para que eu pudesse seguir sem expectativas ou esperanças de ser cuidada, querida, desejada ou amada por outra pessoa senão eu. "Oh don't you want it?/Like I want it." Não mais. Não suportava mais sentir esse amor, esse tipo de amor. Não suportava deitar sozinha na cama enorme, apagar a luz e ver todos aqueles desejos passando por mim e me ignorando. Não estava apenas sozinha ou solitária. Estava isolada. Foi assim que pedi por silêncio e esquecimento. Talvez tenha sido uma oração. *Por favor, que ninguém mais me ame. Por favor, que eu não ame mais ninguém.* Cada pessoa que me amava levava um pedaço de mim e eu estava mutilada. Todos desejavam demais de mim e arrancavam sem pedir.

Tem essa música escrita pela Patty Smyth, mas que só ouço na voz da Patti Smith e que diz que algumas vezes o amor não é suficiente. *Talvez eu só queira tudo.* Ou queria as coisas na mesma medida em que as pessoas queriam coisas de mim. Que eu fosse mais magra, mais feminina, mais delicada, mais silenciosa, mais contida, mais previsível. Era o jeito delas me dizerem que eu deveria ser menos para, quem sabe, ser mais. Tolerável. Estava de olhos fechados, mas imaginava o que as pessoas viam. Naquela sala redonda com tijolos mais ou menos assados, com grandes janelas de madeira, cheia de zafus e teto de vidro, as pessoas viam uma mulher sentada sobre as próprias pernas, chorando.

    Talvez reparassem no tamanho do meu corpo, no cabelo bagunçado, nos óculos embaçados, na roupa molhada ou na poça de água que se formava abaixo de mim. Talvez não vissem nada. Talvez estivessem cuidando de seus próprios lutos e batalhas. Talvez eu nem estivesse ali. Mas se estivesse e fosse vista, o que as pessoas nunca veriam (e nunca viram) é que eu desejava tanto ser amada genuinamente que todo quase amor, quase carinho ou quase afeto que aceitei estava me matando. Para sobreviver, eu estava disposta a expulsar todas aquelas pessoas de mim e a me isolar em busca de paz. *Eu não quero mais sentir.* Foi assim que me despedi de cada um deles e os enterrei numa vala comum do meu peito. Sem roupas apropriadas, sem caixões ou pétalas vermelhas. Só havia eles, eu, o buraco que fiz com as minhas mãos e o oceano que joguei por cima. Ao fim, não houve alívio. Só silêncio. Foi ali, daquela cova recém-coberta, que assisti os meses que se seguiram numa rotina impecável desenhada pelo meu ascendente em Virgem e retocada pelo Saturno que flutua sobre ele. Não acredito em astrologia.

17.

No meu último dia na comunidade, fui para a padaria. Chamávamos essas atividades diárias de sala de aula e cada uma delas tinha a função de nos ensinar algo no silêncio. A única coisa que não tinha feito ali até então era cozinhar. Padaria e cozinha eram as salas mais disputadas. Não cozinho. Já basta Minha Avó, Minhas Tias, Minha Mãe e Minha Filha. Há muitas mulheres da minha família na cozinha e decidi não ir a esse lugar. Escolhi muito cedo que não dedicaria nenhum tempo para atividades como cozinhar. Servir. Eu não sirvo. Enxergava a cozinha como superfície das relações patógeno-hospedeiro que testemunhava. Era meu último dia ali e quando perguntaram quem gostaria de ir à padaria, fui escolhida. Meu braço esquerdo estava levantando e tenho certeza absoluta de que eu não estava envolvida nisso. A padaria da comunidade é uma das salas de aulas mais importantes, não apenas por garantir o pão que todos comeríamos nas refeições, mas pela ancestralidade do ritual.

Evito palavras como ancestralidade, ritual, gratidão, sagrado, feminilidade ou feminino. Elas permitem que a realidade dura, cotidiana e concreta seja diluída em discurso barato e romântico. Mas ali estava eu. Num retiro de silêncio, usando touca e avental e ouvindo sobre como o processo de fazer o pão é semelhante à vida. É necessário misturar, descansar, sovar, assar. Nada sobre reações químicas, história ou antropologia. Olhava para a cozinha e procurava sinais de concretude. Farinha branca, farinha integral, fermento, sal, açúcar. Água. Diante do meu olho, um baralho. "Escolhe uma carta, mas não olha."

Tirei e impaciente ouvi a explicação sobre aquilo ser um Oráculo do Pão. Cada carta indicava o que cada pessoa deveria trabalhar naquele dia. Emoções. Empolgadas, as outras alunas iam lendo e encorpando minha impaciência. O sol entrava pela janela que estava às minhas costas e eu via o ponteiro do relógio descer cada segundo. Um a um. Calculei que seriam quatro horas das longas. O silêncio me interrompeu e vi que todas olhavam para mim na expectativa do meu oráculo. Olhei de volta, quase como ameaça, mas assumi que era isso. Era isso o que eu tinha para aquele momento. Virei a carta.

Perdão.

18.

Sempre que estava muito irritada, Minha Avó se trancava na cozinha e só saía horas depois. Nós sabíamos o que estava acontecendo, mas resumíamos a duas ou seis latas de cerveja. Ela tinha enterrado mais filhos e netos do que podia suportar. Todas as mulheres da minha família enterraram filhos. Nunca falávamos sobre isso. Algumas enterraram fetos, outras bebês, e outras jovens ou adultos feitos. Todas essas mães enterraram seus filhos. Nenhuma mãe deveria enterrar seus filhos. Mas toda pessoa que morre é filha de alguém. Quando a enfermeira perguntou à Minha Mãe se ela já tinha abortado, ela disse dois. Eu sabia de um porque estava lá. Ele me culpou. "Sua mãe perdeu nosso filho porque te levou naquele hospital. A culpa é sua."

Aos quatro anos, eu sabia que estava com dor e sabia que algo tinha acontecido com Minha Mãe no hospital. Ela dizia que entrou com dois e saiu com uma, mas que não culpava ninguém. Foi antes dela começar a me bater de verdade. A culpa de tudo é que eu me lembro. A memória é esse desenho aquarelado em que a tinta está suspensa ou dissolvida, mas existe. Aquilo existiu e eu me lembro. A caixa craniana serve para manter a integridade dessas pinturas. Quadros das mães enterrando seus filhos se misturam com a imagem do monte de farinha à minha frente. *Perdão*.

Todas elas faziam pão. Sempre tinha pão de padaria e o pão delas. Meu Avô preferia o de padaria e sempre me chamava para comer com ele. Acho que ele entendeu quem eu era muito cedo. Ele me colocava na cadeirinha da bicicleta e andava comigo por horas; pegava a mim e meus primos e nos levava para bares e rinhas; ensinava como fazer churrasqueira cortando um tambor ao meio e me deixava ficar perto dele quando construiu a casa. As mulheres na cozinha rindo e falando e depenando o frango assassinado havia pouco, enquanto eu observava meu avô mexer o cimento e levantar o muro. Foi assim até o fim de todos. Eu nunca estava na cozinha. A mãe ridicularizava isso e dizia que se eu estava lá era só para comer. Não sei o que Minha Mãe diria. Houve essa época em que ela insistiu em que eu deveria aprender.

Eu sei. Eu sei cozinhar. Mas escolhi não. Ler Silvia Federici só confirmou o que eu sentia. Sentia que aquele lugar, a cozinha, era um lugar de transformação, mas também de isolamento. São poucas as cozinhas com janelas e vista. Não sou boa em reconhecer minhas habilidades, mas tenho facilidade em me adaptar. A qualquer custo. Por isso, naquele dia em que Minha Mãe elogiou a comida que fiz, não sorri. Esperava reconhecimento por coisas que carregassem mais de mim.

"Do que adianta saber ler e escrever se não sabe fazer arroz." Acredito que num dos seus muitos dias ruins, Minha Avó tenha dito em voz alta o que todas pensavam de mim. Arroz, feijão, sopa paraguaia, carne ensopada com mandioca, rocambole de carne, canjica, polenta, batata calabresa, macarronada, quiabo frito, jiló cozido, frango com creme de milho e pão. Eu sei cozinhar. Aprendi antes e depois. Só escolhi não.

Estar na cozinha era concordar com tudo que me foi dito sobre quem eu não era, como deveria ser e o que deveria fazer. Eu era outra coisa. Minha admiração convergia para a avó que ria alto e falava palavrão; para a tia que sempre resolvia os piores problemas; para a mãe que viajava a trabalho; para a outra tia que nunca teve medo de amar e ou praquela que se manteve em pé mesmo quando o coração falhou. Nenhuma dessas mulheres sobreviveria à cozinha. Mas é isso que uma boa mulher tem que fazer, não é? Ser magra, esposa, mãe, dona de casa, cozinheira, silenciosa e dócil? Por anos, tentei.

Olhei para o lado e pensei que a vida fosse isso. Um sofá branco, um vestido rodado, uma dieta constante, um homem que lê a página dois do jornal, uma criança com cachos e um cachorro caramelo. Aceitei que talvez outras coisas entrassem nessa lista. Provavelmente uma amante; um amor mal resolvido; sonhos enterrados; cansaço e irritação.

Minha Filha, você me ama? "Porque não amaria?" Ela sequer me olhou para responder isso, mas poderia listar muitos motivos para não amar uma mãe. Mesmo que a gente não fale, eles existem. Minha Avó nunca falou os dela, só espremia os lábios enquanto tricotava e falava da bisa. Minha Mãe dizia todos sempre que podia. Exceto depois da morte da avó. Era como se a morte fosse um ritual de purificação das relações. Minha Mãe fazia massas com tanta propriedade que o dia ia se iluminando mais e mais a cada ingrediente que ela separava. Pães, bolos e tortas. Mas ela era famosa pelas esfihas. Era o que nos unia. Todos nós, raramente, rindo juntos, falando e lembrando. Disputando atenção com o volume alto da televisão enquanto, na cozinha, Minha Mãe e Minha Filha abriam as massas e recheavam. Depois comíamos queimando língua e estômago e ignorando suas ordens de deixar para mais tarde. Não tenho a receita. Mas tem esse áudio que ela mandou para a nora.

"Viu, presta atenção no que eu vou falar pra você. Eu não tenho a receita certinha da quantidade. E aí você faz como? Você pega aquela barrinha, eu gosto de fazer com aquela barrinha de fermento. Dá 60 gramas, quatro de 15. Aí você coloca uma colher de sopa de açúcar, uma colher de sopa de sal. Aí você dissolve aquilo ali. Depois de dissolver aquilo ali, você coloca mais ou menos meio copo de óleo e aí você coloca um ovo inteiro. Bate o ovo e coloca lá dentro. Você mexeu. Para cada 60 gramas de fermento, você vai usar mais ou menos um quilo de farinha de trigo. Aí você morna, por exemplo, dois copos de leite. Não muito quente, viu? Tem que ser mais pra frio que pra quente, senão acaba com o fermento. Você aquece esse leite e mistura ali. Aí você vai jogando a farinha até você sentir que ela está soltando da mão. Não deixa a massa muito seca que fica ruim pra abrir. Você deixa e vai colocando a farinha e vai mexendo até sentir que a massa tá bem bonita, bem bonita a massa. Mas não está nem seca, nem molhada. Aí você deixa essa massa descansar até ela dobrar de tamanho, você já vai abrindo as esfihas e coloca o recheio. Eu uso carne crua. Você vai temperar a carne só com limão e sal. Você pode colocar uns picadinhos de tomate, uns picadinhos de cebola. Não põe muito pra não encher de água, tá? Aí você vai rechear com a carne crua e quando você fechar ela fechadinha, daí você passa aquela gema de ovo em cima pra ficar aquele colorido bonito, tá? Falou então, beijo."

Perdão. Enquanto lia a mensagem do oráculo, lembrei que nunca mais seria alimentada por Minha Mãe. *Perdão.* Chorei na leitura; chorei enquanto olhava o processo químico do fermento desencadeado pelas minhas mãos; chorei ao misturar os ingredientes e chorei ao jogar a massa na mesa para sovar. Entendi. Foi quando entendi que não estava só com raiva. Eu sou ira. O barulho da massa contra a mesa foi tão alto que resultou em piadas que nunca ouvi. *Estou viva.*

Afundei meu punho na massa como quem joga o inimigo no chão e a apertei como quem aperta o pescoço da doença e pede restituição. Amassei todos os silêncios das conversas não terminadas; a raiva que eu sentia por ela não ter lutado mais; a traição dela ter escondido a doença; o rancor dela por ter sido mulher ou filha quando eu a queria mãe; o desapontamento do meu próprio silêncio no velório; minha fraqueza por não ter segurado a alça do caixão; todas as vezes em que não gritei que eu sou a filha e que as pessoas não têm o direito de chorar para mim ou de questionar minhas lágrimas. Descarreguei na massa toda frustração e impotência que a morte impõe pelo simples fato de existir. *Estou viva.*

19.

Todos já haviam terminado e eu precisei de um toque no ombro e um olhar compreensivo para deixar minha massa em paz. Ela deveria crescer. Nós podíamos sair, comer uma maçã, tomar um chá, meditar e voltar depois para enformar e assar. Fiquei ali, sentada. Olhando o pano de prato subir e pensando que a dor de estar viva é imensa e pulsante porque nos coloca diante de todas as escolhas que fizemos por fazer, por parecerem certas ou por estarem ali. Não sei quanto tempo se passou até as pessoas voltarem. Uma delas, não lembro quem, me entregou um copo de chá e se colocou diante da sua massa. Bebi, enformei a massa e saí. Não voltei e nem sei quais dos pães servidos naquele almoço foram feitos por mim. Na hora da despedida, é possível falar. Mas eu não estava lá. Peguei minha mochila e fui embora. Ao passar pela casinha verde, o recepcionista me entregou um saco de papel pardo com meu nome. Dentro, pão. Decidi ver o mar.

20.

Antes de ir para o hotel, parei na praia e fiquei ouvindo o mar. Estava de noite e a água se misturava com o céu de um outro jeito, como se tudo fosse uma coisa só. Como se a onda descesse ao mar e viesse lamber a terra para então voltar para o céu. Fiquei muito tempo ali. Quando meu estômago roncou, comi o pão que estava comigo enquanto a espuma do mar quase tocava meus pés. Naquela noite, dormi. Sem remédios para insônia ou relaxantes musculares. Sem ruídos gravados de chuva, podcast ou músicas tristes. Dormi como se nunca tivesse parido, nascido ou amado. Não foi como aquela noite em que acordei várias e várias vezes bêbada de remédios. Apenas dormi e sonhei.

    Estava nesse barco de pesca e tudo o que ouvia era o silêncio que sustenta as ondas. O chão estava molhado e eu via pequenos e minúsculos tubarões nadando naquelas poças e, na minha frente, olhando diretamente para mim, uma lula colossal. A parte que estava fora da água ainda tinha pedaços vermelhos e marrons, mas no geral, era cinza. Ela estava morrendo. Seus olhos eram maiores que minha cabeça e o azul leitoso deles contrastava com o que sobrou de vermelho e marrom do corpo. Não tive medo, mas também não me senti à vontade. Eu e tudo de mim cabíamos naqueles olhos. Um dos tentáculos subiu, passou pelos meus olhos e parou na altura do meu umbigo. Fiz uma concha com as mãos e a lula soltou um pequeno cofre. Ele ocupou toda palma da minha mão. Era de cimento e tinha rachaduras e marcas de tempo. Dentro, estava um pingente de ouro que era da Minha Mãe e ficou comigo depois que ela morreu. Um São Jorge no centro de uma flor.

    Eu odeio esse pingente.

POSSESSÃO

1.

Viva. Viva.
    Hoje a mãe faria 70 anos. Faria. Futuro do Pretérito. A primeira vez que fiquei de recuperação na escola foi por não entender friamente as conjugações verbais. Era um tradicional colégio católico no interior de São Paulo. Freiras. Eu costumava equilibrar a gravidade do uniforme com moletons de bandas de rock. Tênis branco ou preto ou azul-escuro; meia ¾ branca; short-saia de pregas azul-escuro e moletom do Guns N' Roses, Ramones ou Metallica. Essa foi uma das muitas escolas que frequentei. A mãe tinha esse hábito de mudar sempre de casa, de cidade, de estado, de bairro. Nunca de vida. Foram escolas municipais, estaduais, militares, de padres, de freiras, espíritas e técnicas. Talvez por isso eu seja tão reticente em mudar Minha Filha de escola. Sou tia das mesmas meninas desde o primário. Acompanhei seus pequenos ritos de passagem como engolir comprimido; usar caneta no quinto ano e menstruar. Sou a tia legal da Sonserina que as leva ao cinema, mas avisa que vai dormir e serve coxinha de festa numa segunda-feira qualquer.
    Um dia antes do início das aulas de recuperação de português, caí de bicicleta na rua e ralei joelhos e coxas. Estava correndo com os meninos e perdi o controle quando pensei.

Num minuto estava ali correndo ladeira abaixo. No outro era parte do asfalto. Também ralei a tinta azul-marinho da Ceci e dei perda total na cestinha branca. Nunca me serviu mesmo. Depois disso, a única coisa que conseguia usar era um short de algodão amarelo-neon. Começo dos anos 1990. Não bastasse a humilhação do tombo, das feridas, da dor, da recuperação e do amarelo-neon, tive que ouvir um sermão sobre ser a melhor aluna de português e estar ali. "Verbos são simples", martelou a professora. Ela tinha mãos enormes. Verbos não são simples. Não é suficiente decorar as conjugações. Verbos sustentam dores e processos que precisam de anos de digestão. Depois de todos aqueles anos de confissões semanais compulsórias após as missas nas escolas católicas, aprendi que o verbo exorcizar só pode ser conjugado na primeira pessoa do singular. Em qualquer tempo. Hoje a mãe faria 70 anos. Faria. Futuro do pretérito. Não fez e não fará. Nunca.

Mantenho o celular ligado para eventualmente falar com um dos meus irmãos. Eles sentem o peso do futuro do pretérito. Não faço nada que não queira honestamente fazer. Peço bolo. Dois. Formigueiro e milho com requeijão. Bolo formigueiro é um pedido de perdão estabelecido na minha família há gerações. O último bolo formigueiro que Minha Mãe me fez foi quando Minha Filha ficou de recuperação em matemática. Cheguei do trabalho e a indignação da mãe era quase uma terceira pessoa na sala. Elas estavam no sofá branco. O preto e o marrom estavam tomados por cachorros. Entrei e o silêncio foi apunhalado com frases passivo-agressivas. Ouvi o que elas tinham a dizer e, com todo esgotamento que me é peculiar, perguntei à Minha Mãe se ela se lembrava da primeira vez em que fiquei de recuperação na escola. O choque. O rosto da Minha Mãe se fechou em aversão enquanto o da Minha Filha se abria em surpresa. *Lembra, mãe? Foi de português, né? Eu não conseguia conjugar os verbos só com indicação de pessoa e tempo, eu precisava de um contexto e não sabia como dizer isso. Depois fiquei de recuperação em artes porque não sabia desenhar e me recusei a aprender. Depois disso veio matemática, física, química, estatística e acho que biologia. Tive que me recuperar de muitas coisas da escola. Tá tudo bem, Minha Filha, se recupere.*

Ela saiu da sala reclamando da minha irresponsabilidade e Minha Filha ficou em silêncio digerindo ou talvez jogando qualquer coisa no celular. Minha Mãe permaneceu em silêncio por alguns dias e depois apareceu em casa com pedaços de um bolo formigueiro e assuntos urgentes, como o clube ter trocado o professor de hidroginástica e isso ter deixado as aulas mais pesadas e menos divertidas. Falamos. Sugeri que ela conversasse com o professor e contasse que aquela reclamação não era só dela, mas de todas as outras alunas. Ela concluiu que era melhor deixar para lá, criticou o café que fiz e comemos o bolo. Formigueiro.

Faço questão de dizer errei, me desculpe ou perdão para que Minha Filha saiba e entenda e sinta. Nem sempre a recuperação é total. Tirei 7,5 na prova. Ainda me lembro de pegar as duas folhas impressas e ver uma lista de cem frases com espaços indicando qual verbo, pessoa e tempo tinham que ser postos ali. Olhei pela janela e encarei a parede quase branca, quase suja. Escolas deveriam respeitar a dignidade da lembrança e oferecer paisagens melhores. Cheguei no bimestre seguinte com joelhos e coxas cicatrizadas, mas carregada de culpa e vergonha. A mãe, a professora e a freira diretora se reuniram e firmaram que verbos são simples. Minha Filha não gosta de bolo formigueiro.

2.

No dia em que a mãe faria 70 anos não chorei. Ninguém me telefonou e apenas trocamos mensagens rápidas no grupo dos irmãos. Fiquei surpresa por ainda existirem resquícios do estado de choque em mim. *Ela é morta. Viva. Estou viva. It's alive. It's alive.* Quando a mãe completou 68 anos, última comemoração, eu não estava lá. Naquela época, eu não ia à casa dela. O processo de reintegração de posse estava em curso e não queria mandar mensagens erradas. Não lembrava se tinha telefonado ou mandado mensagem, tampouco me lembrava de sua resposta. Passei um café e forcei a memória. Sim, telefonei. Ela estava triste. Soube pelo tom de voz e pelas palavras escolhidas para não dizer nada claramente. "Ah, é um dia." Ela já estava doente e nenhum de nós sabia. Se soubéssemos teria mudado alguma coisa? Teríamos tentado ser irmãos com mais afinco ou teríamos assumido que a família é o primeiro relacionamento abusivo a que somos expostos? Se soubéssemos que o dentro do dentro da mãe estava secando, que o sangue estava virando água, teríamos aceitado que ela nos administrasse de acordo com suas expectativas? Teríamos nos perdoado, perdoaríamos uns aos outros, a ela e à família que conseguimos ser?

Lembro-me do dia em que disse a todos que ia comprar pão e acabei na igreja. Católica. Vazia. Na casa da mãe estavam os filhos, as noras, as irmãs, os netos, as netas, sobrinhas. Ela. A doença já era pública e eu ia a sua casa. A doença foi mais forte que a posse. Chorei pensando que estava mais ou menos abandonada. Nós, os filhos, não estávamos conversando. Minha mãe tinha essa fantasia, esse desejo de sermos todos unidos e próximos e companheiros. Não por uma questão emocional, mas administrativa. Ela dizia isso. "Era bom quando vocês eram pequenos, me obedeciam e ficavam quietos e juntos." Talvez Minha Mãe tenha adoecido no dentro do dentro ao perceber que nenhum de nós era ela. Não apenas eu não era ela. Ninguém era. *Será que ela era?*

Penso muito nisso. No que a maternidade levou dela. Ela falava muito do antes de mim. Da família, amigas, namorados, carnavais, bebedeiras, escolas, camisetas coloridas, viagens, tênis, trens e músicas. O antes dela era maior que todas as cozinhas em que ela cozinhou por décadas olhando paredes quase brancas, quase sujas. Morrer foi como ela pôde sobreviver à própria vida e às escolhas. "Eu sou uma mulher frustrada." Ela queria ser minha amiga. Não aceitei. A relação mãe e filha foi protocolada com a minha rejeição explícita às suas necessidades emocionais. *Nós não somos amigas. Você é Minha Mãe.* Isso foi tão antes de saber da doença e segundos depois de abortar uma tentativa da Minha Mãe de fazer confidências sobre sua vida amorosa. Não penso nesses dias com culpa ou pesar. Não foi Minha Culpa, mas sei que contribuí.

Nas mensagens trocadas não falamos como seria se ela estivesse viva. Como ela lidaria com a pandemia e a quarentena. Ou se haveria pandemia e quarentena se ela ainda estivesse viva. No dia em que a mãe faria 70 anos, completei meu segundo mês de isolamento social e, como descobri depois, era apenas o começo. Não lembro o que dissemos uns aos outros no dia em que a mãe completaria 70 anos. Coisas afetivas com certeza. Detesto "com certeza". Minha Mãe sempre usava contra mim quando procurava por seu apoio. *Acho que errei e a pessoa está triste comigo.* "Com certeza." Nenhum abraço ou não pense nisso ou pense nisso depois. Só "com certeza".

3.

Assim que deixei a comunidade, soube que aquilo que sentia estava além da raiva, ira ou ódio. Fúria. *Eu te odeio porque você morreu. Eu odeio que você tenha morrido.* Fui para o mar na expectativa de enterrar esse sentimento no fundo do fundo do oceano. Tirar do meio de mim e modificar o sustento da Lula Vampiro do Inferno. Só entrei no mar no dia seguinte, depois de ter dormido e digerido o pão. Abri a janela e vi que o quarto do hotel só tinha vista para o mar se a pessoa realmente se esforçasse para aquilo. Foi antes da pandemia. Quando era possível andar pelo calçadão comendo acarajé da Dinha e pensando que ali, logo mais ali, havia Paciência. Há muitos anos não ia nessa praia, mas era a segunda vez que ia a Salvador comigo.

Deitei na areia branca e me lembrei de todas as vezes em que apontei minha barriga ao céu e pedi por alguém que pudesse amar. Sabia dos riscos. Soube do primeiro pedido ao último agradecimento que talvez Minha Filha me amasse tanto quanto amei Minha Mãe e ela amou as suas. Sabia dos riscos, mas deixei-me levar pela água. As ondas foram generosas e me permitiram boiar como se eu, elas e a raiva, fôssemos um bicho só. Vez em quando uma onda batia na minha cara de leve, mas forte o suficiente para lembrar que a composição do mar é a mesma da lágrima. *Eu deveria ter morrido antes e você sabia disso. Como é estar viva?*

Sobre as águas eu não conseguia ver as famílias felizes na areia, os beijos dos namorados, a ponte improvisada ou a poça suja logo ali à direita. Não sei quanto tempo fiquei ali, mas foi o suficiente para queimar minha pele até que ela ficasse tão vermelha e dolorida que seria melhor ter sido esfolada. O vento doía. Febre. Passei a noite requeimada pela febre e nenhum dos banhos gelados ajudou com as queimaduras. *Você já viu alguém morrer?* Das bolhas que nasceram no meu rosto e peito sobraram cicatrizes e eventuais feridas. Não sei dizer se o lençol estava molhado de suor ou dos banhos gelados, mas estava.

Estou enlouquecendo. Gostaria de poder explicar o que aprendi com aquele lençol molhado que me incomodou a noite toda. É inútil pensar sobre a origem da umidade. Que diferença faz se veio da febre, do banho, do suor, de forças sobrenaturais ou do poço artesiano se ela continua lá? Não havia nada a ser feito. Trocar o lençol era como começar um dia. Acordar, abrir o olho, lembrar, ficar de pé, escovar os dentes, lavar o rosto, sair do quarto, abrir a porta para os cachorros, ferver água, adoçar o café, sentar no sofá, olhar mensagens, sentir culpa pela meditação não feita, responder e-mails, parecer emocionalmente saudável numa rede social e sarcasticamente devastada em outra, ler, trabalhar, perder-me, sentir o luto, responder as respostas de e-mails, preparar comida, desistir e pedir comida, não comer, assistir ao jornal local apenas para ouvir vozes conhecidas e sentir a solidão se apequenar por uns segundos, retomar a parte do café e trabalhar, fechar o computador com alguma raiva, jantar o que sobrou, tomar banho, remédio, deitar antes das 21h30 na expectativa de dormir antes das três da manhã. A umidade do lençol me ensinou que não importa quão dolorida, requeimada, raivosa, triste ou sozinha eu possa estar, a vida continua. Alguém morreu e a vida continua.

Mentira. Admita que é mentira. Fale onde Minha Mãe está.

A saudade persiste diferente. Menos fúria e mais fadiga. Há muito, o luto tornou-se parte de quem sou e já não há resistências. Físicas ou emocionais. Somos uma coisa só. A Lula Vampiro do Inferno e Eu. Um vermelho só. *Sangra em Vermelho Rebu.* No dia em que a mãe faria 70 anos o sol estava alto, mas não era um dia quente. Era só um dia em que eu teria que arrumar a casa, fazer comida, limpar a varanda, molhar as plantas. Todas elas. Esperei que chovesse para que os pés de ipês que eu havia plantado num vaso enorme no meu quintal minúsculo sorrissem. Não lembro quais as cores deles. Ainda não floriram e não sei se vão. Apesar de mim, os dois ipês crescem e ficam cada dia mais bonitos. Altos. Mais altos que eu já. As duas samambaias também. O mesmo aconteceu com o limão siciliano; os cactos; as lanças-de-são-jorge; as jiboias; as costelas-de-adão; as babosas e tantas outras plantas e vasos espalhados pela casa.

Semanas antes, de alguma forma torta, todos os vasos que eram da mãe e que foram divididos entre nós, irmãos, estavam comigo. Todos. Incluindo o alecrim. Morto. Preciso falar sobre a morte do alecrim. Era lindo, enorme, alto, cheio. Vivo. Hoje é cadáver. Não houve água, luz, sombra, conversa, súplicas ou lágrimas que impedissem sua morte. Mantenho-o do lado de fora da janela do meu quarto. Ainda há aroma quando chove.

É como se a mãe entrasse ali e abrisse cortina e janela enquanto me dissesse que é urgente acordar. O que não faz sentido algum porque quando eu morava com ela não havia plantas em sua casa. Até tinha um vaso grande com uma árvore da fortuna e outra da felicidade. Não me lembro delas. Em uma das muitas casas em que moramos havia uma parreira e um pé de jabuticaba. Minha Avó levou uma muda de Marília e plantou na sua casa, em Campo Grande. Foi debaixo dessa árvore que passei boa parte da minha transição da adolescência para a vida adulta. Acompanhada por meus primos, eu examinava as minúcias dos amores de uma noite só, enquanto começava a entender o padrão dos relacionamentos sem começo ou fim das mulheres gordas. Nada disso importa agora. A jabuticabeira floresce e as frutas caem tanto quanto antes. Ainda que a avó e a mãe tenham morrido, a jabuticabeira permanece. O alecrim seco lembra que nem tudo é hereditário. Não consegui bordar, fazer tricô, crochê, casar ou assar um bolo formigueiro. Escrevo.

4.

É manhã de segunda-feira, e eu sinto dor.

Logo quando comecei a análise, uma das minhas preocupações era criar uma forma de mostrar meu texto. Não o texto do cotidiano, o matemático. Aquele racional e que precisa resolver um problema. Na escola, via meus amigos se preocuparem com a presença de letras nas equações. Nunca soube o que os números faziam ali. Só me importava com X ou Y, pois enxergava ali a razão da existência do problema. Ninguém nos pedia para descobrir o três ou o cinco. Eles estavam lá. Descobertos, reais para qualquer um. Mas as letras despertam dúvidas, curiosidades, demandavam trabalho e suor. O mistério e a resposta estavam nas letras. Era sobre esse texto que queria falar com ela. Eu já havia falado sobre ser leitora e ela já tinha me emprestado alguns livros. A maioria para crianças. No primeiro dia em que estive no consultório, escolhi um livro em que crianças respondiam a perguntas como "o que é vermelho?". Foi quando ela abriu a porta e entendi que precisava entrar. *Levanta e anda.*

Algumas semanas depois, ela me emprestou um livro de uma escritora coreana em que uma menina aprende a ver o mar. Senti muito ao ler, mas senti mais ao devolver. Eu devolvia os livros. Mas houve essa época em que eu realmente quis morrer. Estava com tanto medo do breu que sentia que temia ter que matar para permanecer. Minha Analista me emprestou um livro de cartas e eu lia somente as escritas por suicidas. *Eu teria me cortado de outro jeito se tivesse comprado o barbeador?* Muitas pessoas à minha volta se mataram. Digo, concretamente. Suicídio nunca foi um mistério ou algo distante para mim. Talvez por isso eu me assombrasse com a dificuldade das pessoas em falar sobre isso. Morte. *Acontece. Quase sempre acontece. Aconteceria comigo?*

A morte permitiu que Minha Analista visse. Tinha escrito, junto com minha vizinha de porta, um artigo sobre uma mãe que enterrou seu filho e teve seu luto questionado. *Nenhuma mãe deveria enterrar seu filho.* Eu não sabia como me mostrar a ela. Mandei o link e esperei. Na sessão seguinte falamos sobre morte, luto, maternidade, julgamento, construção e identidade. *Eu existo quando escrevo. Eu existo. Eu escrevo.*

Não sei se a mãe leu alguma ficção que escrevi. Certa vez, ela reclamou de um texto em que eu falava sobre não termos fotos de nossas infâncias por ser um luxo na época. A mãe não tolerava ser reconhecida ou apontada como pobre. Para a mãe a pobreza era o mesmo que miséria. Ter uma casa popular financiada por vinte anos, viver de pagamento a pagamento ou de cartão de crédito e não ter acesso a lazer além da televisão não eram sinais de pobreza. Era só a vida. Falar sobre isso, falar que tínhamos poucas fotos porque fotografias eram caras ou que saímos uma única vez para lanchar e tomar sorvete em família era ofensivo.

Talvez eu escreva para preservar a memória. A minha. Escrevo para existir além das lembranças dos outros. Escrevo para reivindicar que eu estava lá antes dos meus irmãos nascerem, antes da mudança, antes do casamento. Escrevo para firmar que a mãe e eu existimos na avenida Maracaju e passeávamos por Campo Grande de mãos dadas e em silêncio. Escrevo para lembrar que antes dos meus irmãos balbuciarem eu já escrevia. Que a mãe sentava ao meu lado na mesa e me contava sobre as letras, os jeitos de formar palavras e a importância de escrever bonito. Escrevo porque aprendi a ler nos cadernos de receitas das mulheres da Minha Família e nas revistas de tricô e crochê da Minha Avó a importância da artesã. Escrevo porque existo além das outras pessoas e para que a Minha Mãe exista além de mim. Escrevo para avisar que a mãe era muitas, mas Minha Mãe é só minha.

É manhã de quinta-feira e eu sinto fome.

Sempre escrevi. Só fui mais lenta no processo de compor a escrita. Dentro, no meu dentro, as histórias e as pessoas viviam o que lhes era destinado, desejado ou imposto (não por mim). Observava as pessoas e me recusava a acreditar que elas eram apenas aquilo. Tudo é mais do que se amostra. Escrevo porque leio. Gostaria de assentar ao menos uma palavra de cada livro que li, leio, leria e lerei porque eles são A célula da minha existência. Escrevo para resistir. Para ter meu corpo gordo reconhecido como válido; para que minha essência não seja perdida no achismo que meu tamanho ou gênero desperta; para que minhas memórias não se percam na deficiência de outras memórias; para que meu sentido seja reconhecido, para que eu me encontre, me contorne, me sinta e pressinta. Escrever não foi algo que me aconteceu ou que escolhi ou que sou. Tenho a suspeita de que escrever é.

Pensando nisso, eu jamais poderia me apaixonar honestamente por qualquer pessoa. O meu amor por alguém vai além do que me é amostrado. O amor romântico me parece uma equação focada em números. Mas tem essa paixão que me persegue. Uma cidade em volta de uma universidade. Lutei para que a sola do meu tênis, preto, vencesse a rua íngreme e milenar de pedras-sabão para me perder em lágrimas na frente da universidade. Existo porque escrevo. Minha Mãe era número e eu letra. Não falávamos o mesmo idioma. Nem mesmo naqueles dias que antecederam a morte, quando dividíamos a cama em seu quarto ou o quarto do hospital entenderíamos uma à outra. Jamais entendi a preferência de Minha Mãe por um vestido branco na mesma medida em que ela jamais entenderia a minha preferência por uma capa preta.

5.

Há muito não gargalho. Tempo. Minha Filha chorava alto quando o resto do seu cordão umbilical caiu. Era noite e estávamos em casa – naquela da rua sem asfalto – Minha Mãe, eu e ela. Comecei a chorar junto e pedi por ajuda. Tinha medo que ela sentisse. Dor. A mãe se aproximou e com a prática de quatro filhos cuidou da ferida como se fosse só mais uma. Não era. Assim como não era mais uma, não era dela. A mãe tinha esse hábito de tomar para si todas as dores que encontrasse. Quanto pior o sofrimento, mais ela era presente. Desde que. *Sempre tem um desde que.* Desde que o sofrimento não fosse contra suas demandas administrativas da maternidade. Notas baixas, tombos, divórcios e brigas eram tratados todos com a mesma intensidade. "A culpa é minha que comecei isso tudo" ou "Se eu pudesse colocava todos vocês dentro da barriga e começava tudo de novo". Era assim que Minha Mãe expressava seus pesares e arrependimentos. Eu não tinha isso. Nunca duvidei que Minha Filha estava bem melhor fora de mim, com a propriedade de ser quem ela é. Também não me identificava quando ela falava de como o amor pelos homens tinha se transformado em mágoa. A mãe era uma ferida enorme. Talvez por isso mantenha sempre uma em meu rosto. Ferida.

 Estou num daqueles períodos de sono desregulado. Sinto muito sono, mas não consigo dormir. Criei um ritual que é soma de algumas coisas de que gosto e outras que desprezo. Fiz uma playlist com músicas tristes das décadas de 1990 até 2010. Apago a luz, acendo as velas e deixo a água quente do chuveiro cair nas minhas costas. Até queimar. As velas são perfumadas e foram compradas há muito, muito tempo. Elas ficam dentro de latas que têm um adesivo redondo ilustrado com uma pin-up.

Demorei muito para saber o que era uma pin-up. Foi na época da faculdade, quando a internet era discada e pude entender que havia outras como eu. Mulheres que escrevem. A vida fora do papel sempre me pareceu mais cinza. Eu só não sabia. Coloquei uma jiboia no banheiro, pendurada entre o chuveiro e a janela. O banheiro tem vista para a lua e a planta se alonga assustadoramente. Quase sempre fico preocupada se a temperatura da água vai cozinhar as folhas, mas não me importo se queima minhas costas. Há dias em que me preocupo com minha pele e faço um ritual com os cremes que mantenho ao lado da cama, justamente para me lembrar deles. Estão com poeira. Eventualmente uso o óleo de maracujá que deixo ao lado dos sabonetes. Gosto de ter essas coisas, mas não as uso. Pequenas celebrações do meu não merecimento.

Não sou uma pin-up. Não há ninguém me olhando de soslaio esperando por atenção; não há quem me mande mensagens perguntando se estou bem, se preciso conversar, se podemos nos encontrar, como foi o meu dia ou me desejando. *Eu te amo. Ardentemente.* Ninguém vai segurar minha mão se eu tremer de medo ou de frio. Nem Darcy ou Elizabeth. Ninguém vai rir das minhas piadas; constranger-se com minhas perguntas; suportar meu cansaço; sentir-se confortável quando eu disser que sim, eu li aquele livro. Ou que talvez eu tenha escrito aquele texto. Não vão me chamar para reuniões e festas para dançar e conversar amenidades. Talvez chamem, mas não com a mesma urgência e obstinação com que me chamam para reuniões de trabalho. Em público. Não terei que tomar decisões difíceis sobre quem e como amar. Meu corpo chegou primeiro. O corpo gordo é um filtro poderoso. Pouco antes de deitar, de sair do banho, de tirar a espuma do corpo, volto a questionar se a mãe estava certa. Emagrecer. Ser feliz. Ser. Emagrecer se tornou esse lugar especial onde o afeto e o acolhimento são infinitos. Lealdade. Mulheres magras ganham lealdade? *Será que lá meu texto seria melhor? Será que escrever está ancorado na angina do meu tamanho?*

    Já na cama, continuo meu ritual inútil. *Outra noite sem dormir.* Ligo a playlist e coloco uma almofada terapêutica nos olhos. Feita à mão, recheada com lavanda e camomila. Não conheço quem fez. Acrescento uma gota de óleo essencial e apago a luz. No começo, eu só pensava. Depois imaginava lugares e pessoas e finais alternativos e duradouros para relacionamentos que estavam nos meus bunkers internos. No começo, fazia efeito. Como se aquele pouco fosse imprescindível. Um teco de mãe e um nada de pai tornam qualquer migalha pão. É proibido. Por toda minha vida me disseram que eu deveria me apaixonar, casar e ser feliz para sempre. Que deveria aceitar quem viesse porque meu corpo já estava lá.

    Desde que a mãe morreu e notei-me viva, nada mudou. Não tenho uma trajetória definida, não realizei a jornada do herói e não conquistei nada. Não recomecei a vida em outro estado, não me casei na igreja e tampouco engravidei. Ninguém se apaixonou por mim ou eu por alguém. Meu trajeto foi o mais ordinário possível. Silenciosamente anoiteci e amanheci. Nesse intervalo fazia o que tinha de ser feito sem dramas ou angústias ou prazeres. Eventualmente a Lula Vampiro do Inferno libertava alguma lembrança e eu fazia nada. Nada. O que era exatamente o que podia ser feito. Estar viva não é o mesmo que sentir-se viva. Caso estivesse numa novela mexicana ou num filme argentino, nesse momento meu rosto tomaria toda tela. Sério e dividido entre luz e sombra. Lentamente eu levantaria a cabeça, viraria 7/8 de perfil, inspiraria profundamente e fim de cena. Mas estou na cozinha, olhando para azulejos brancos enquanto lavo a louça de três refeições atrás.

A Minha Vida tem o tom exato da mediocridade. Sigo uma linha mental de tudo que desejei e agora é só uma montanha de lixo que aumenta diariamente com a chegada de caminhões que despejam outros sonhos e desejos. A morte da Minha Mãe não me despertou para a vida. Não floresci ou desabrochei ou qualquer outra metáfora simplória sobre ficar ou ser uma versão melhor de mim. O que definitivamente não aconteceria. Ninguém nunca escondeu que o melhor que poderia acontecer comigo era ser outra que não eu. A mãe, Minha Mãe, nunca escondeu. Meses depois da sua morte, eu tinha conseguido ser uma versão piorada do que ela já considerava ruim. Imperfeita aos olhos da mãe. Eu havia engordado algo entre quinze e vinte quilos; minha pele perdeu o viço e ganhou manchas e feridas; assumi meus cabelos brancos (na real, tenho orgulho disso); o hábito de morder meus dentes piorou tanto a ponto de quebrar dois; roí minhas unhas até que meus dedos doessem debaixo d'água ou em contato com o vento. Teve ainda essa noite em que acordei com dor porque estava mordendo minha língua. Minha imunidade estava tão baixa que eu alternava crises de sinusite, enxaqueca, alergias e gripes. O ar estava sempre lutando contra secreções. Ultimamente, mais.

Por mais que minha casa estivesse organizada, limpa, com portas e janelas abertas, plantas saudáveis e cães vivos, eu sentia que ela era o espaço do meu fracasso. Diariamente, Minha Filha e eu avançávamos para que esse lugar fosse cada vez mais parecido conosco. Em nosso caso, uma adolescente em processo de mudança e uma mulher de meia-idade afogada em secreções, mediocridade e papel.

Havia aqueles períodos em que eu até cozinhava mais do que pedia comida, tomava dois litros de água por dia e conseguia respirar a ordem dos remédios. Eu seguia vivendo de pagamento em pagamento, sem conseguir fazer uma reserva de emergência ou pagar todas as minhas contas. Depois de um tempo parei de pedir dinheiro emprestado ao meu irmão para fechar o mês e joguei fora meu cartão de crédito. Não conseguia ter um momento de lazer sem ter uma crise de ansiedade ou pânico. Numa delas, fui parar no hospital com taquicardia e falta de ar por ter comprado um sorvete para mim e Minha Filha. Ao ser liberada, horas depois, ela me pediu para pararmos para comer e tive os mesmos sintomas na hora do pagamento. É como se o mundo fosse implodir a qualquer momento. De forma racional, eu sabia que as coisas estavam melhorando, se ajeitando e tomando forma lentamente. Talvez nem isso. Não poderia garantir que fosse rápido e controlado.

A minha insatisfação é um estudo. Quando a mãe morreu, as raízes profundas desse sentimento sugavam toda e qualquer possibilidade de alegria ou reconhecimento. Fico pensando em tudo o que ela desejou e planejou para mim. Por mais que não me servisse, não cumprir aquilo era traição. O que ela planejou para mim, a filha que deveria amá-la, não era o que me aconteceu no dia de hoje. Ou de ontem e provavelmente de amanhã.

Sou uma mulher gorda, mãe, solteira, de rosto marcado e sem vontade de recorrer a artifícios como maquiagem. Tampouco me encaixo no estereótipo vigente de mulher fora dos padrões. Não tomo vinho, cerveja ou whisky; não acendo cigarros, charutos ou pastéis; não toco delicadamente no meu peito ou na boca; não ouço vinil, CD ou MP3; não assisto filmes mudos ou do Leste Europeu; não uso camisolas ou pijamas elaborados; meu quadril não é a parte mais larga do meu corpo e tampouco telefono para minhas amigas para dizer quão difícil está sendo enquanto faço planos de adotar uma nova samambaia ou achar uma casa de chão de taco.

O luto acontece sem se importar com a plateia. É silencioso, cansativo e desajeitado. É bem mais brutal que do que vemos por aí. A estética do luto não está relacionada a cores pastéis, música francesa ou diários reveladores. A estética é irrelevante para o luto, uma vez que seu corpo está imerso na instabilidade da existência. Nada mudou. As plantas cresciam; os boletos brotavam na caixa de correio; a psiquiatra assinava novas receitas; Minha Analista me escutava e eu apenas seguia. *Indo.* Não me lembrava se tinha sonhos, desejos, vontades ou até mesmo caprichos. As únicas cores que eu via era o laranja de quem despejava parte de mim na montanha de lixo e o vermelho da Lula Vampiro do Inferno. O resto não era preto e branco. Mas eu gostaria de ser amada. Gostaria de ter meu rosto entre duas mãos e ser beijada com verdade. Por desejo. Não por pena, conveniência ou fetiche. Gostaria de ser amada. *Gorda? Gorda.*

6.

Tenho dúvidas se hoje alcançaria 7,5 naquela prova. Contrariando a todas aquelas mulheres, abracei a complexidade dos verbos. Exorcizar, por exemplo, é algo que conjugamos em outras pessoas por burocracia. Assim como nunca podemos conjugar possuir na primeira pessoa do singular ou do plural. Eu não me possuo da mesma forma como você ou ela não me exorciza. Sei disso desde os três anos, desde que Minha Mãe me pediu que emagrecesse pela primeira vez. Ao contrário de outras lembranças, nessa sou incapaz de refrear o cheiro ou o som ou a temperatura. O médico se aproxima para me examinar e eu murcho a barriga. "Você tem que fazer isso na hora de comer." Era noite. Saímos da consulta e me lembro das recomendações de Minha Mãe sobre o pedido do médico. "Emagreça. Vou te ajudar." Pegamos o ônibus e Minha Mãe me deixou sentar na janela e eu me lembro das casas irem passando quase tão rápido quanto eu tentando entender qual o problema da minha barriga e porque tentei escondê-la. Depois fomos ao supermercado e a mãe me disse que eu só poderia levar iogurte sem sabor. Três anos. Talvez essa seja minha primeira memória. Talvez seja minha primeira ficção. Ainda éramos apenas eu e a mãe, morávamos em Campo Grande e parecia que sempre seria assim. Mãe e Filha. Parecia. Seria. Nós andávamos muito de ônibus. Dentro e fora da cidade.

Por volta das três da manhã, uma nova culpa. *Mãe poderia me perdoar?* Nova, não original. Não sei se cobiço ou careço de perdão. Tampouco sei se pediria por mim ou pela maternidade que apresentei a ela. O choro tropeça na garganta e as lágrimas não acontecem. O escuro do quarto não é escuro. Não é denso como as vísceras do oceano ou a sala de espera da endoscopia. No quarto não existem criaturas com peles, membranas e escamas transparentes, brancas, prateadas, que inventam luzes rosa, roxas, verdes, douradas ou azuis e as carregam em suas lanternas, presas às suas cabeças, para iluminar fendas e quartos repletos de medos, perdas e silêncios. Cogito o que seria de mim se Minha Mãe me perdoasse por ter imposto a maternidade com minha presença ou se receberia esse pedido com o mesmo assombro que eu o receberia de Minha Filha. Como um amontoado de palavras descabidas que precisam ser contidas no abraço. A mãe daria de ombros.

Achei que pudesse ser filha. Ser a pessoa dela. Entre meus esforços, aprendi a dirigir. Tanto Minha Mãe quanto Minha Filha queriam isso de mim. Exigiam. Não consigo dizer o porquê. Imagino que queriam alguma garantia de que haveria espaço para elas na fuga. Minha Mãe sempre foi concreta. Minha Filha nem tanto. Minha Mãe e Minha Filha, amparadas pelos homens que nos cercavam, me empurraram para a autoescola. Fiz todas as espantosas, intermináveis e esdrúxulas aulas teóricas. Dediquei mais tempo do que gostaria para decorar placas, ver vídeos de segurança e ouvir histórias absurdas envolvendo vários tipos de veículos, ao lado de jovens ansiosos e falantes. Em seguida, fiz o dobro de aulas práticas que qualquer outra pessoa desesperançosa faria. Reprovei três vezes. Antes e depois do resultado, eu repetia – para mim – quão inútil era estar ali.

Entrar no carro e esperar na fila que um avaliador embarcasse e me dissesse se eu estava apta ou não a dirigir, algo que não me atraía ou que representava quão banal é o afeto dos homens, me ofendia. Cada baliza, rampa ou curva era ultrajante. A respiração desinteressada do avaliador ao meu lado não melhorava em nada minha permanência ali. Na terceira e última vez, olhei no retrovisor para fazer a baliza e vi, ao longe, mas não muito, a arquibancada cheia de homens e mulheres de várias idades e cores e tamanhos, esperando pela oportunidade de fazer um exame que pode lhes garantir um papel que dá a falsa sensação de autonomia ou liberdade. Dirigir não me autoriza a conduzir minha própria vida. Sou mulher. *Por que vocês estão aqui?* A bufada do avaliador lembra que estou muito próxima de reprovar. De novo. Estaciono o carro no lugar indicado, agradeço a atenção e vou embora. *Eu sei por que não quero estar aqui.*

Quando criança, eu imaginava essa versão adulta de mim que teria uma mesa cheia de papéis e canetas e livros. Caminharia até a escola e pararia em praças para ler e, então, voltaria para minha casa com luz, quintal, piscina e cachorros. Não haveria trânsito em meus sonhos ou realidade. Eu assistia pessoas próximas sofrendo por parcelas, seguro, gasolina, manutenção e consertos. Mesmo com todo conforto e a facilidade de um carro, ele sempre me pareceu mais custoso que dinheiro. Que estúpida me sentia por pensar que haveria outras formas de chegar nos mesmos lugares.

Até que um dia, pedi que meu irmão me emprestasse seu carro para um passeio no bairro. O almoço de domingo tinha recém-acabado e ninguém estava disposto a acreditar. Desconfiado, jogou as chaves no meu colo e disse vai, com a crença de que eu provavelmente desistiria daquilo para lavar a louça. Minha Mãe e Minha Filha sentadas no banco de trás. Dirigi como se gostasse. Até sorri. Desci pela rua da mãe, contornei a praça, subi a avenida da escola, entrei na esquina da minha casa e repeti o caminho várias e várias vezes, alternando uma ou outra forma. Fizemos isso por muito tempo e em silêncio. Não sei muito de nós três e talvez nenhuma das nossas memórias e percepções tenham a oportunidade de se encontrar em algum momento de nossas existências, mas, ali, naquele trajeto, pude conduzir as duas no meu mundo particular e silencioso. Quando descemos na casa da mãe, escolhi acreditar que elas entenderam algo importante sobre mim. *Eu sei, mas não quero.*

7.

Tudo o que quis era ser vista por Minha Mãe. *Se eu fosse magra ela teria me visto?* Eu me esforcei para ser vista pela Minha Mãe e me odiava mais e mais quando me via através dela. O cansaço, a falta de fé e a decepção eram constantes. A mãe não escondia que desejava uma filha diferente, próxima do que ela entendia como filha. Magra, esposa, religiosa, contida, sorridente e bem-humorada. Alguém que, ao contrário de mim, estivesse disposta a amar ao homem sobre todas as coisas. Nunca entendi a dilatação do amargor até o dia em que lhe contei que estava me preparando para a prova de doutorado. "Coitada da minha neta."

Houve esse dia em que tínhamos acabado de nos mudar e estávamos montando uma cozinha provisória no quintal. O carteiro, sempre ele, trouxe um livro enviado de Portugal. Esse era diferente. Tinha um capítulo escrito por mim. Eu existia entre outros pesquisadores. Acariciei a capa verde como quem recebe uma confirmação de vida. Abri no sumário e mostrei meu nome a ela. O nome que ela escolheu. *Mãe, é isso que faço quando não estou cozinhando ou estendendo roupa.* Não lembro como ela reagiu. Sequer lembro como ela me olhou. Sei apenas que não houve conversa ou comentário ou perguntas ou críticas. O que quer que tenha acontecido foi enterrado no meu oceano particular. Não sei onde coloquei esse livro. Nem mesmo tenho certeza de que ele ainda está em casa. Eu desejava que Minha Mãe me visse, mas não sabia lidar com isso. *Eu não mereço.* As lembranças desses momentos caminham lado a lado com os momentos mais vergonhosos da minha vida. Eu não suportava o amor.

Existiram momentos de vínculo. Períodos tão pequenos e ínfimos que o esquecimento se sobressai à lembrança. Lembro dos nossos tempos, de pequenos sinais de que havia algo em nós que nos ligava. Algo que provava que ela, de fato, me enxergava e falávamos o mesmo idioma. Talvez por isso eu tenha feito tantas dietas. Eu conseguia enxergar a alegria no rosto dela ao me ver tentar. *Mas esta casta de demônios não se expulsa senão pela oração e pelo jejum (Mt. 17:21).*

Não sei se meus irmãos fizeram catecismo como eu, mas, definitivamente, só eu jejuava. Jejuava para emagrecer, para entrar no vestido preto da festa de formatura do ensino médio (a qual fui sozinha), jejuava para ser convidada às festas, jejuava na expectativa de ser beijada, jejuava para ser amada, jejuava para ser boa. Jejuava para ser outra que não eu. Jejuava para expurgar o excesso de corpo que envolvia meu corpo. A mãe disse, certa vez, que jejuaria comigo. Combinamos de passar dois dias tomando apenas água para que eu perdesse, pelo menos, cinco quilos. *Você vai ver como é bom ser olhada.* Faríamos isso num sábado e domingo. No domingo, de tarde, a vi comendo escondido. Feijão. Na lavanderia.

Não há belo dia para um exorcismo. Não há explicação plausível sobre a urgência católica de expurgar os demônios alheios. Foi quando notei a possessão. Era um dia qualquer e não chorei ou solucei até dormir. Ao contrário, precisava chorar e não conseguia. Ao perceber que eu estava ali, vendo ela comer, a mãe gargalhou. Daquele jeito quando seus olhos ficavam pequenos e todos os seus dentes apareciam e soava estridente e sádico. Não foi a primeira vez. Nem a última. Para exorcizar, é necessário jejum e oração.

Cada dia seco é um dia que não se realiza. *Preciso chorar.* Mas há esse momento de possessão. Eu não controlo as lágrimas e sabia que assim como minha bisavó, avó, tias e mãe eu sonhava com um grande amor e deveria me preparar para ele. Dia a dia esperava que meu coração fosse sequestrado por alguém com a mesma força como sou sequestrada por letras, palavras, frases, orações, capítulos, livros.

Depois da morte da mãe, todos encontraram seus pares e refizeram suas vidas acompanhados, amparados e amados. O que me manteve viva foi a minha capacidade de sonhar e agora, eu estava ali, no meio do meu ritual caótico e desesperado, chorando por admitir que nem eu, nem Minha Mãe, tínhamos condições de entender ou compartilhar os nossos amores. Assim como Minha Mãe, eu estava disposta a abrir mão de tudo pela razão do meu afeto. Ela desejava sentir e eu desejo sentido. Não havia nada além do medo que me separava do amor. Mais clichê impossível. Nessa noite, não dormi antes da hora ou com mais facilidade. Não me lembro sequer de ter dormido, mas lembro da enxurrada de dopamina, do frio na barriga e da vontade de deixar tudo. Mas esse amor é metódico.

8.

A mãe tinha essa estratégia que se tornou um ritual para ser seguido quando ela se mudava de casa. Primeiro, tirava todas as roupas do guarda-roupa e da cômoda e colocava sobre sua cama. Geralmente de manhã. O montador desmontava o guarda-roupa e o cara do carreto levava as peças imediatamente para a nova casa, onde o montador o remontava. Em seguida, ela levava as roupas e as devolvia a seus lugares. Geralmente no fim da tarde. Todo o resto permanecia bagunçado, mas não seu guarda-roupa. Também havia um ritual para a cozinha, mas não tão eficiente. Uma semana depois da morte da mãe, combinamos de nos reunir para resolver suas roupas. Talvez fosse mais que uma semana. Talvez menos. Não sei. Não faz diferença. *Faz?* Encontrei o guarda-roupa e a cama desmontados e todas as roupas sobre um lençol no chão, no meio do quarto. Não tenho nome para o que senti. *Ela jamais faria isso.* Ver o caixão descer era algo que eu esperava.

Ficamos, Minha Filha e eu, com objetos que nos eram particulares e que hoje estão numa caixa branca no meu armário. Caixa do luto. A máquina de costura, o velho rádio de pilha que foi ignorado pelas enfermeiras do hospital enquanto ouvíamos o jogo do Brasil na copa de 2018. Vestidas com a camiseta que ainda era só uma camiseta. Tiramos uma foto e ela pediu para tomar banho e trocar de roupa. *Suor. Calor.* Falou daquele jeito em que derruba os cantos dos lábios, encolhe a testa e solta um "uh" no final. Antes

do jogo acabar, ela pediu que eu colocasse uma música leve. *Eu não tenho músicas leves.* Comecei a mostrar as opções da minha playlist quando ela escolheu o que mais lhe agradava. *Wake Up* do Arcade Fire.
Mãe, tem certeza?
Tenho.
Dias depois, quando haviam trocado os pijamas da mãe pelas vestes do hospital, ela se despediu de nós. "Cuida da Minha Neta. Não adota mais cachorro." "Filha, a avó te ama." Antes do silêncio, antes do coma, antes da carta do médico endereçada ao banco, ela nos disse o que devíamos fazer. Um a um. Entre gemidos de dor e medo, todas as mães em Minha Mãe disseram o que deveríamos fazer a partir daquele momento. Eu não me lembro, mas escrevo. *Mãe, não se preocupe. Você vai pra casa e a gente vai cuidar dos cachorros.* Foi mais fácil mentir que dizer eu te amo, adeus ou não me deixa. Alguém tinha de mentir para mim. Depois disso, ficamos, Meu Irmão, Minha Mãe e eu, no quarto, em silêncio e ligados por um invisível e vermelho fio de lã. Ainda tenho lágrimas. Ainda tenho.

Separar as roupas da mãe, avisar o oveiro, jogar pétalas vermelhas sobre o caixão que desce, mentir para ela e dizer que ficaríamos todos bem. Era dessas e outras memórias que a Lula Vampiro do Inferno se alimentava e, em alguns dias, era tudo tão pesado e insuportável que ela virava do avesso e arranhava seus dentes nas paredes internas da minha memória. Esses dias eram os piores. Não havia corpo suficiente. O luto mói. O tempo me ensinou a ser expectadora de mim mesma e a observar o luto de vários pontos de vista. A rir da dor. Como no dia em que encontramos o boletim escolar da mãe. Não houve um semestre em que ela não tenha jogado na nossa cara suas vitórias. Ver que ela não tinha nenhuma nota superior a oito nos mostrou que ela era demasiadamente humana. A maternidade é cruel. Ela nos toma tanto de nós mesmas que descemos ao ponto de nos igualar aos homens na necessidade de exercer influência. Colonizar.

Minha Mãe morreu e dizer que hoje ela faria tudo diferente é tão sensato quanto dizer que eu faria diferente naquele quarto de hospital. Tenho aversão a esse tipo de pensamento, mesmo sabendo que ele é o sal do oceano onde o luto navega. *Como teria sido?* Sei como foi. Foi como podíamos. Houve um momento em que Minha Mãe demonstrou pensar nisso. "Se não fui mais amável e querida foi porque a vida me fez assim ou foi o que dei conta de fazer com a minha vida." A mãe me disse isso num depois só meu e dela, quando andávamos por uma rua escura e destruída.

São sempre as mesmas ruas em sonhos diferentes. Todos os prédios e casas eram formados por gavetários de cemitério. Alguns novos, outros enferrujados e, noutro, uma pessoa varria areia e ossos por fora dele. Essa era uma rua da minha infância, onde corri e caí. A rua estava devastada. O asfalto foi varrido por areia branca típica de algumas cidades litorâneas ou do Mato Grosso do Sul e não da cidade do interior de São Paulo onde caí. Tentei não olhar para o céu. A mistura de amarelo, laranja e vermelho denunciou que aquilo era um sonho e logo Minha Mãe estaria morta de novo. Não me lembro do que falávamos, mas eu estava ferida. Magoada. Vi os cactos, os ossos, os gavetários abertos enquanto nos aproximávamos da espuma do mar. A rua só continuava enquanto íamos mar adentro e quando tudo era uma coisa só, como se a água fosse apenas uma película de mundo, senti esses tentáculos passando pelas minhas costas. Pensei que me abraçariam e me esmagariam, mas apenas se entrelaçaram e formaram uma jaula, com janelas de navios ou submarinos. Eles estavam no lugar. Os tubarões se aproximavam e encaixavam seus olhos nos meus. Não era medo, o que senti era outra coisa.

9.

A mãe nunca entendeu o que me abduzia. Meus silêncios eram estrangeiros e ela tentava aprender meu idioma. Do jeito que pôde. Houve o dia em que ela me contou que iríamos sair, pediu que eu me vestisse "feito gente"[1]. Dentro do ônibus, me perguntou se eu me sentia sozinha. *Sim.* "Ótimo." Ela marcou uma sessão com um psicólogo em que eu nunca tinha ido antes – nem ela – para dizer o quanto eu era solitária e tudo o que me fazia triste. Ela não me avisou que íamos lá. Só fomos. Ou ela foi e eu acompanhei. Nunca soube explicar para ela que sim, eu sou sozinha. Mas não despovoada ou deserta.

"Nós viemos aqui porque ela precisa de ajuda. Eu sei que ela sente falta do pai, mas o que eu posso fazer se ele não quis ficar com ela? Ele tem a família dele e eu vejo que ela não gosta lá de casa. Eu me casei e tive outros filhos e eu vejo que ela não gosta da gente. Ela quer um pai, eu sei. Mas o meu marido não quer ser o pai dela, infelizmente, e o pai dela não liga pra ela. Ela passa o dia lendo e eu não consigo falar com ela e não sei como falar com ela sobre ela ser assim gorda e ser infeliz como eu sei que ela é, e eu sei que ela quer ser magra porque ela me prometeu que ia ser magra e ter uma vida normal, sabe? Eu fui gorda uma vez, mas tomei remédios e emagreci mais de vinte quilos num mês e ela só engorda e lê. Eu já dei remédios pra ela e apoio quando ela quer fazer dieta e jejum, mas ela não tem força de vontade. O pai dela não telefona pra ela e eu sei que a culpa é minha também porque eu queria ter uma família e vim embora pra essa cidade e deixei de trabalhar. Eu sempre trabalhei, sabe? Agora não. Eu tenho outros filhos e não consigo dar a ela o tempo que ela precisa. E eu vejo que ela gosta mais da minha família lá em Campo Grande, mas nós

---

[1] Não usar calça rasgada, cargo ou tênis remendados com fita adesiva.

não estamos mais lá. Eu também sinto falta, mas a nossa vida é aqui e ela não se adapta. Logo mais ela vai querer namorar e vai descobrir que nenhum homem quer ficar com uma mulher gorda e eu quero que ela tenha a chance de escolher, como eu tive, e que seja feliz. Mas eu não sei falar com ela. Ela lê demais e ouve umas músicas estranhas. Além disso, ela não se cuida mesmo. Usa sempre a calça rasgada e cortou o cabelo curto. Quase não tem amigas, está sempre com a mesma amiga e eu queria que ela fosse feliz, mas ela não vai ser feliz e eu preciso que ela seja feliz e emagreça."

O psicólogo me entregou uma caixa de lenços de papel para secar as lágrimas. *Ela sabe. Ela sabe e mesmo assim procura outro.* Tenho muita vontade de encontrar aquele homem para saber o que aconteceu aquele dia. Tudo o que sei dele é que, ironicamente, o consultório é no mesmo prédio da Minha Analista e da Minha Psiquiatra. *Seria a mesma sala?*

10.

Abraço meu edredom e jogo o celular num lugar qualquer da cama. O meu edredom atende uma série de requisitos. É de malha, enorme, confortável e preto. Um dos lados é cinza. Nada é perfeito. Comprei um igual para Minha Filha, mas ela escolheu roxo e verde. O dela é menor e ela costuma dormir desaparecida nele. Tem algo de conforto que vai além da sua função. Enrolo parte dele nas pernas, faço um apoio nas costas e uso a outra ponta como travesseiro. É um movimento complexo, quase como se estivesse acolhida num abraço de tentáculos macios, escuros e cheirosos. Estou. Continuo na cama e de pijama. O meu pijama. Preto com flores grandes. Preto com flores pequenas. Preto xadrez. Preto. Eu fui o edredom de segurança da Minha Mãe.

Há dias em que o luto me interrompe, mas não daquele jeito. *Sobrevivi.* Minha Mãe morreu. Continuo no processo de reintegração de posse, agora com a consciência de que tudo bem ser. Nem filha, nem mãe. Eu. Sempre que chego nesse ponto, respiro e inspiro com mais intensidade. Como aprendi com a monja no retiro. Claro que existem os remédios. Talvez para sempre existam os remédios. *Eu vou tomar remédios pra sempre?* "É muito cedo para saber." Isso foi há quase três anos. No luto, isso é quase para sempre. O luto é um perene amargo. Acolha ou seja arrastada. Agora tem esse vazio de não amar ninguém além do esperado. É esperado que eu ame Minha Filha ou Minha Mãe. *Eu não suporto mais amar e ver morrer.*

Levanto e pego a foto da mãe que carrego na bolsa, sempre comigo. Está num monóculo vermelho e branco, cheio de riscos e marcas do tempo. É a mãe antes da doença, do casamento, dos filhos, de mim. Ela parece ter não mais que quinze anos. Chapéu, cabelos pretos curtos, camisa branca, saia xadrez vermelha, meia 7/8 branca, sapato vermelho. Está de pé numa calçada e não há qualquer detalhe que permita descobrir que lugar é aquele. Não tem tempo ou espaço. A mãe que seria existe apenas ali, naquele monóculo, com aquele sorriso honesto que deixava os olhos pretos brilhantes ainda menores, quase um risco. Nosso nariz. A mãe parecia genuinamente feliz. Foi antes. Seco o olho e espero um pouco para olhar de novo. Queria que ela estivesse aqui para me ajudar a ver. Para falar como escolheu aquela roupa, com quem estava, quem estava do outro lado e que mereceu aquele olhar. Queria que ela estivesse aqui para falarmos do que poderia ter sido se eu não tivesse aberto uma porta que talvez não fosse para ela. Queria que a mãe estivesse aqui para que eu pudesse dizer em voz alta a despedida que repito silenciosamente, como um mantra, todas as noites, desde que abaixei e menti em seu ouvido segundos antes do caixão ser lacrado. Queria dizer para ela que aprendi o suficiente sobre verbos para saber que no futuro do pretérito eu não teria nascido e ela teria sido outra pessoa. Mais parecida com o que ela desejou tanto para si que nunca teve coragem de contar. Antes a mãe era letra e sorria para fotos e usava roupas vermelhas e parecia feliz.

É só mais uma noite em que levanto da cama e passeio pela casa fazendo algo semelhante a arrumar. Já não tenho vergonha de cantar minhas músicas favoritas ou dar risada das bobagens do Twitter ou fingir que não sei que Minha Filha está acordada muito além da hora. É só mais uma noite que ouço o ronco alto dos meus cães que ignoram os latidos que vem da rua; que consigo assistir mais um episódio de série ou capítulo de novela (coreana ou mexicana); que me irrito com as várias torneiras de casa que resolveram vazar ao mesmo tempo; com os vários cursos que tenho feito; com a difícil e mal cheirosa transição para o desodorante natural e com os copos de café com nata adoçados com leite condensado, que misturam os ensinamentos de duas avós que não se conheceram mas que me ampararam. É só mais uma noite sem mãe. Sem a Minha Mãe. Sem que ela coloque o rosto no portão e espere, pacientemente, que eu olhe e me assuste e grite. É só mais um dia. Outro dia e a vida continua. Escondo o monóculo na gaveta, apago a luz e me enrolo no edredom.

Foi a última vez que sonhei.

11.

Não foi como os outros. Sonhos. Começou quando desci a rua que levava à casa da Minha Avó em Campo Grande. Virando à esquerda, estava na calçada de casa em Marília em frente ao mar de Salvador. As casas eram antigas e abandonadas, mas protegidas por enormes portões de ferro, cheios de arabescos. Não havia ninguém nas casas, mas a praia estava cheia. Pessoas pequenas, pequenininhas como nas pinturas que vendem nas ruas do Pelourinho. Voltei os olhos para as casas e percebi que na esquina havia um sobrado pintado de preto, como aqueles botecos antigos aonde íamos – todos os primos e eu – ver o vô jogar no bicho ou o tio apostar na rinha de galo. O cheiro. O barulho. O sangue. As risadas. Os homens. As secreções.

Olhei o mar e soube. A onda estava se formando lá no fundo e ninguém percebia. Vinha vindo e só eu sentia. Preciso de conforto para me segurar. Tirei o vestido branco sem pensar na minha barriga exposta ou no sutiã de renda branca. Só o enrolei nos braços e agarrei a grade. A onda era graúda, mas todos ignoravam. Pequenas pessoas com suas roupas de banho coloridas e bolas e boias felizes no mar que subia numa onda cada vez maior que vinha na minha direção. *Inspiro quando ela estiver perto.* Água. Verde água. Aquarela. Abri os olhos e o sal não incomodava. Era tudo silêncio e cansaço. Pequenas bolhas estouravam no verde da água e não tinha mais gente, só tubarões e lulas e peixes e polvos. *Viva.* Não tinha esquerda ou direita, em cima ou embaixo. Tinha eu e tinha o mar que agora voltava para bem dentro do seu dentro. Lento, ruidoso, verde e salgado.

Soltei a grade e vi as irmãs e irmãos da mãe andando por ali nas casas de Marília, como andavam quando eu era neném nas ruas de Campo Grande. Eles não tinham que estar ali. Eles não são desse lugar, dessa cidade. Senti no dentro do meu dentro, onde se forma o sangue e onde a Lula Vampiro do Inferno sai de uma cavidade do meu coração e espera, que outra onda se formava. Pensei adeus aos tios que caminhavam na varanda fechada e folhas secas no chão e inspirei fundo enquanto a água chegava e me cobria e cobria Salvador, Marília, Campo Grande e eu de novo. Dessa vez tinha móveis e destroços e nenhum bicho. Pedaços de guarda-roupa, cômodas, berços e móveis de MDF barato. Mas a água era verde e confortável e segura. No fundo da onda, me vi grávida tocando minha barriga e ouvindo a música que cantava para Minha Filha para explicar que ali era mais bonito, mais azul, mais colorido, mas que ela tinha que respirar. Quando a onda foi, olhei e vi Salvador destroçada. Cheia de restos e pedaços de móveis, mas as pessoas continuavam ali como decoração da ruína.

Foi quando senti que viria uma onda. Não era a terceira. Vi se formar uma enorme onda de areia. Areia fina. Marrom. Claro. Escuro. Olhei para frente e me recusei a morrer. A onda veio quebrando em mim e subindo pelo meu corpo enquanto eu crescia a coluna para encaixar minha cabeça entre o teto da varanda e o portão para garantir que meus olhos e boca e nariz ficassem livres. Quando a areia atingiu a nuca, antes que a ambição de viver se tornasse desespero, a onda de areia começou a recuar como recua qualquer onda e eu pude novamente tocar o pé no chão. Sem olhar para trás, cortei caminho e entrei na porta do bar na rua Marília para sair em Campo Grande. Olhei os detalhes e fui reconhecendo objetos afetivos de cada um dos homens da minha família, mas quem estava lá, de corpo presente, eram as mulheres. As irmãs da mãe que cuidavam daquele lugar que sobrevivia a cada uma das ondas gigantes que montavam sobre ele. Conversavam amenidades. Lembrei de como todas elas se empenharam em me ensinar a fazer tricô e crochê e eu não entendia os movimentos destros. "O ponto é sempre de dentro para fora, do coração para fora" e de lá saía um ponto, carreira, peça, sustento e lembrança.

    Contemplei tudo como quem se despede daqueles azulejos pretos e quadros e mezanino com memorabilia e desci na rua Campo Grande. Cheia, cheia de carros que tentavam fugir da onda que talvez viesse a seguir. *Perceberam*. Todo mundo perde. A mãe. Um ônibus parou quase em cima do meu pé e o motorista me mandou subir para fugir dali. Olhei para trás e vi o que seria o começo da terceira. Onda. Água. Verde. Aqui, de longe, a água parecia mais verde ainda. Eu via, no dentro do dentro da onda, todos aqueles bichos e bolhas e temperaturas que são parte de mim mas não sou eu. Ela ia chegar e eu estaria ali, como sempre estive. Entraria como sempre entrei. Nadaria como sempre nadei e, no meio dela, entre eles, aqueles bichos, eu seria o que nasci e fiz nascer para ser. Encarei o motorista e não sorri. *Obrigada. Eu parto sozinha.*

12.

Ontem encontrei a carta que o médico escreveu ao banco. Meu celular finalmente parou e fui obrigada a trocá-lo. Parou fazendo drama, com a tela esmorecendo, perdendo cores até o cinza apagado tornar-se preto e refletir meu espanto. Aceitei. Coloquei numa gaveta de onde saía, talvez um dia, para a reparação. Fui descobrir o que tinha perdido e precisei consultar meus arquivos na nuvem. Uma foto da carta. Entre tantas fotos e arquivos e prints, a carta. Para ser usada nos encerramentos burocráticos da mãe. Não era a carta. Mas olhar aquelas palavras me levou de volta para aquele lugar, aquele tempo. Logo mais faria dois anos que a mãe morreu. Parece que foi ontem. Talvez tenha sido. A ausência da Minha Mãe chegou décadas antes da morte da mãe, mas ainda sinto como se a morte tivesse me roubado. Não teve reparação. A vida tem final. Feliz é outra coisa. Não consegui ajudar meus irmãos a resolverem a vida burocrática da mãe.

Mas teve essa coisa que escrevi. A primeira coisa que publiquei para ela. Há pouco estive no cemitério pela primeira vez desde aquele dia e levei Minha Filha para ver o túmulo da avó. Nós não o encontrávamos. Fui até a administração e pedi o endereço dela. Poucos meses antes, havia encomendado a lápide. Tinha em mim essa necessidade de falar da morte da mãe para que ela não fosse esquecida, extinta, renegada. Rasurada. Entre cafés e pães de queijo, ditei o nome da mãe para ser escrito e publicado a ferro quente. *Morta. Viva.* Imagino o barulho e as fagulhas voando enquanto o fogo queima e marca o nome da mãe no que seria sua última inscrição.

Na lápide o nome do vô, da vó e da mãe. Por ordem de partida. *Ou chegada?* Azul-marinho com letras douradas. Grama em volta e um grande pé de ipê. Sem flores. "Ela está em coma e seu estado é irreversível." Abri um buraco no chão, ao lado do tronco e enterrei o pingente. Não era meu. A mãe sempre usava essa corrente com quatro pingentes de ouro: três meninos e um São Jorge. Perguntei a ela porque não tinha uma menina. "Roubaram." Eu era criança e olhava para aquela corrente balançando em seu peito sabendo que não havia eu. No dia em que dividimos os bens pessoais da mãe, entreguei cada pingente a um dos irmãos e sabia que aquele era o que me cabia. Por mais que o odiasse, fiquei feliz da mãe ter me deixado algo infamiliar. Como nós éramos e seríamos. Em qualquer tempo verbal. Não caiu uma flor de ipê sobre a lápide e essa dúvida é irreversível. Antes que pudéssemos pensar e sentir ou chorar, Minha Filha e eu apertamos nossas mãos. Já não era tão pequena e tão frágil. O céu, como dizia Minha Mãe, desabou. A força da chuva estava concentrada em nos molhar e não em amenizar o calor. Foi quando ouvimos uma funcionária do cemitério gritar "OVEIRO!" para um homem que estava lá atrás do cruzeiro. O silêncio do cemitério foi enterrado pelas nossas gargalhadas.

POSFÁCIO

Essa é uma história de autoficção. Sim, a minha mãe morreu. Sim, eu tenho uma filha. Sim, a narrativa foi baseada na minha experiência sobre muitas coisas. Começo dizendo que essa é uma história de autoficção por saber como esse debate se dá quando falamos de textos produzidos por mulheres. No projeto inicial, a narradora tinha um nome e essa foi a primeira grande mudança de trajeto. Quis que o texto fosse o mais universal possível e se não consegui, a culpa é minha. O ponto final, o último, foi colocado no dia em que completava meu quarto mês de isolamento social. A pandemia de Covid-19 ainda segue matando, em média, mil pessoas por dia. Segundo os números oficiais. Até o momento, três pessoas da minha família foram contaminadas pelo vírus, mas não morreram. Uma das minhas tias mais queridas morreu por outros motivos e não pude me despedir dela. Não tive coragem de perguntar aos meus primos sobre a despedida com restrição de pessoas e tempo. Ela era uma das melhores amigas de minha mãe e cresci rindo e brincando em sua casa, cercada pelos retalhos de tecido e doces de leite em pó. Dedico esse livro a ela e a todas as famílias que, além de serem privadas de suas pessoas, foram privadas do direito à despedida. Todas as outras pessoas que me acompanharam no processo de escrever o livro estão representadas em uma ou outra palavra. O agradecimento virá pessoalmente, no abraço que anseio compartilhar.

Escrever um livro sobre morte e luto durante a pandemia foi denso. *Sabendo que és minha* começou a ser escrito no final de 2018 e, em 2019, recebi uma bolsa do ProAc (Programa de Ação Cultural da Secretaria de Cultura e Economia Criativa do Estado de São Paulo) para executar o projeto. Logo após a morte de minha mãe, procurei por leituras que falassem especificamente sobre esse luto. Livros ou textos que fossem pessoais e que mostrassem todas as coisas que não são ditas ou vistas por uma mulher sobre a morte de sua mãe e o luto decorrente. Não achei. Tão somente isso. Não significa que não existam, o que digo é que não achei. Foi quando comecei as primeiras anotações desta novela. Muita coisa foi escrita, alterada, editada, apagada. A bolsa não apenas permitiu a publicação do livro, mas possibilitou a participação autoral de várias profissionais do mercado editorial. Em todo o processo de produção, só dois homens foram envolvidos. Todas os papéis foram desempenhados por mulheres. Algumas gordas, outras LGBTQIA+, outras enlutadas ou fora dos grandes centros editoriais. Mulheres que são preteridas por serem quem são e que, não raro, têm seus trabalhos reduzidos a adjetivos que se tornam nomes, sobrenomes, títulos e subtítulos. Em cada parte do processo há o olhar de quem conhece o trabalho e suas dificuldades e preconceitos.

    Escrever *Sabendo que és minha* foi uma experiência que, assim como o luto propriamente dito, não sei nomear. Sabia como queria que o livro terminasse, mas ao escrever a última frase veio apenas o vazio. Há muito tempo tenho publicado coisas aqui e ali na internet e algumas pessoas me acompanharam nesse processo. Talvez você seja uma delas. Talvez este seja seu primeiro contato comigo. Mas o fato é que escrever me pareceu uma forma natural de sentir. Há muito, demais mesmo, de mim no texto. Mas esse livro não sou eu. Não é exclusivamente sobre mim. Deixo rastros como qualquer escritora deixa em seus livros. Algumas se escondem melhor que outras. Mas estamos lá. É parte do trabalho.

O que eu não sabia é que ao terminar o texto, consciente de que deveria encaminhá-lo para a editora, eu deixava em mim um vazio. Outro luto. Tive um longo, leal, estável e conflituoso relacionamento com todas essas personagens que passaram e passam por sentimentos tão difíceis. Chorei e ri com elas. Elas são exatamente quem nasceram para ser. Sou grata pela forma como elas nos permitem mergulhar e acessar suas várias camadas. Este livro é resultado da generosidade dessas personagens que se permitiram questionar o que foi estabelecido como familiar e aceitável em matéria de sentimentos, experiências, conceitos e violências, por exemplo. A ausência do nome é que permite que elas estejam tão presentes e nos mostrem que, em meio ao silenciamento de mortes e perdas, é preciso elaborar o luto. Pessoal ou coletivo.

Não cabe a mim dizer quando e como isso deve acontecer. Mas coube a mim reconhecer que proporcionar o rito funerário para minha mãe, para mim e nossa família foi o exercício de um direito que hoje é negado a milhares de famílias. Escrever é fazer escolhas. Minhas escolhas de linguagem e forma acompanham (ou tentam) os desvios de sentido e respostas que experimentamos em momentos de excesso de sentir, como luto, maternidade e percepção do próprio corpo. *Sabendo que és minha* é uma novela sobre o excesso de sentir e a falta de sentido da morte, do luto e da maternidade. Fico grata que ela possa chegar às suas mãos depois de percorrer um caminho tão bonito. Por fim, confesso que ao fim disto tudo, desejei tomar café com minha mãe e dizer que, enfim, sou uma autora publicada.

Fabrina Martinez
Primavera de 2020